ALICE AU PAYS DES MERGUEZ

Ma langue au Chah.
Ça mange pas de pain.
N'en jetez plus !
Moi, vous me connaissez ?
Emballage cadeau.
Appelez-moi, chérie.
T'es beau, tu sais !
Ça ne s'invente pas !
J'ai essayé : on peut !
Un os dans la noce.
Les préductions de Nostrabérus.
Mets ton doigt où j'ai mon doigt.
Si, signore.
Maman, les petits bateaux.
La vie privée de Walter Klozett.
Dis bonjour à la dame.
Certaines l'aiment chauve.
Concerto pour porte-jarretelles.
Sucette boulevard.
Remets ton slip, gondolier.
Chérie, passe-moi tes microbes !
Une banane dans l'oreille.
Hue, dada !
Vol au-dessus d'un lit de cocu.
Si ma tante en avait.
Fais-moi des choses.
Viens avec ton cierge.
Mon culte sur la commode.
Tire-m'en deux, c'est pour offrir.
A prendre ou à lécher.
Baise-ball à La Baule.
Meurs pas, on a du monde.
Tarte à la crème story.
On liquide et on s'en va.
Champagne pour tout le monde !
Réglez-lui son compte !
La pute enchantée.
Bouge ton pied que je voie la mer.
L'année de la moule.
Du bois dont on fait les pipes.
Va donc m'attendre chez Plu-
meau.

Morpions Circus.
Remouille-moi la compresse.
Si maman me voyait !
Des gonzesses comme s'il en
pleuvait.
Les deux oreilles et la queue.
Pleins feux sur le tutu.
Laissez pousser les asperges.
Poison d'Avril, ou la vie sexuelle
de Lili Pute.
Bacchanale chez la mère Tatzi.
Dégustez, gourmandes !
Plein les moustaches.
Après vous s'il en reste, Monsieur
le Président.
Chauds, les lapins !

Hors série :

L'Histoire de France.
Le standinge.
Béru et ces dames.
Les vacances de Bérurier.
Béru-Béru.
La sexualité.
Les Con.
Les mots en épingle de San-Anto-
nio.
Si « Queue-d'âne » m'était conté.
Les confessions de l'Ange noir.
Y a-t-il un Français dans la salle ?
Les clés du pouvoir sont dans la
boîte à gants.
Les aventures galantes de Béru-
rier.
Faut-il tuer les petits garçons qui
ont les mains sur les hanches ?

Œuvres complètes :

Vingt et un tomes déjà parus.

SAN-ANTONIO

ALICE AU PAYS DES MERGUEZ

6, rue Garancière - Paris VIᵉ

A Claude Delieutraz, mon génial bûcheron.
Affectueusement,

San-A.

PREMIÈRE PARTIE

APOLLON-JULES

SURAVANT PROPOS

Un rire de femme l'arracha à sa torpeur.

Quand il mangeait, il s'enlisait, bouchée après bouchée, dans une trouble félicité purement organique qui le comblait tout en lui laissant l'esprit disponible.

Il venait de se commander deux cents grammes de caviar qu'il comptait consommer tartiné sur des pommes de terre en robe des champs, et ce tas noir et luisant, planté au centre de son assiette, le préparait déjà à la joie gustative.

Il ferma les yeux et mordit à grande gueulée vorace dans le tubercule lesté d'œufs d'esturgeon. Il avait nappé le tout de crème aigre. Le bonheur qu'il escomptait se produisit aussitôt, et c'était cela surtout qui le rivait aux plaisirs de la table : cette attente jamais déçue, cette évocation très forte qui, chaque fois, trouvait confirmation.

Il mastiqua lentement, voluptueusement, s'abandonnant avec ferveur à sa gloutonnerie lorsque le rire de la femme vint pour la seconde fois brouiller son début d'extase.

Il reposa sa pomme de terre si fastueusement tartinée et chercha du regard la personne qui riait ainsi. Il y avait tant de joie spontanée, tant de fraîcheur dans ce rire qu'il en était troublé. La salle luxueuse du club, aux éclairages savants, était comble. Aucun homme qui ne fût en smoking, aucune femme qui ne portât une robe ou un ensemble du soir. Des bougies délicates faisaient briller leurs yeux et exaltaient leur maquillage. Une cohorte de serveurs hautement professionnels, efficaces et empressés, se déployait dans le restaurant en un ballet plein de grâce et de précision.

Le bâfreur attendit, la tête dressée, que la femme au rire mélodieux se manifestât à nouveau, ce qui ne tarda pas. Elle se tenait à deux tables de la sienne, sur la gauche, assise face à une grande glace sombre qui renvoyait son image à l'homme. Il pouvait la contempler simultanément de dos et de face et il éprouva alors cette impétueuse cuisance de l'envie poussée au paroxysme. Il essaya de la chasser de sa vue et mordit à nouveau dans sa pomme de terre ; mais son plaisir de manger devenait lointain, comme improbable.

Un instant, il en voulut à la fille de lui gâcher une joie déjà installée en lui. Elle ne devait guère avoir plus de vingt ans. Elle était d'un blond légèrement cendré. Ses cheveux moussaient sur la nuque et tombaient en mèches savantes sur ses oreilles, formant une frange « à la diable » sur le front. L'homme était fasciné par la peau claire de son cou, fine comme celle d'un fruit délicat.

Il acheva son caviar lentement, l'esprit ailleurs. Quand il mangeait, son corps énorme décrivait des espèces d'ondulations continues. Ses épaules s'abaissaient pour remonter avec une lenteur océane.

Il but son verre de vodka, d'un coup. Un trait de feu balaya ses papilles. Le maître d'hôtel s'empressa pour remplir son verre. L'homme venait de prendre sa décision. Il murmura, sans regarder son interlocuteur :

— Quelqu'un peut-il aller prévenir mon chauffeur que j'ai des instructions urgentes à lui donner ? La Rolls blanche devant la porte.

— Certainement, monsieur Kazaldi.

Le rire, une fois de plus, vrilla ses sens. L'homme se mit à tartiner l'autre moitié de la pomme de terre. Un bonheur confus lui venait. A la déception de la bonne chère succédait l'espoir de la chair. Il se sentait souverain, puissant.

Quelques instants plus tard, son chauffeur se présenta à sa table, en uniforme noir, sa casquette à la main. C'était un grand type à la peau bistre et aux yeux de loup. Il s'inclina face à son maître.

Kazaldi murmura :

— La jeune femme blonde, deux tables derrière toi. Elle porte un smoking de velours à parements de soie. Elle se trouve en compagnie d'un couple dont la femme est rousse et un homme l'accompagne, d'un certain âge, avec des cheveux blanc bleuté. Fais le nécessaire.

Il avait parlé en arabe et si bas, du fond de sa graisse, que seul son domestique à l'oreille exercée pouvait capter ses paroles.

Le chauffeur eut une nouvelle inclinaison de buste et se retira. Au passage, il jeta un regard indifférent à la table qui venait de lui être indiquée, repéra la fille blonde, et remonta l'escalier de marbre garni d'un tapis iranien.

Des parfums délicats mais obsédants s'y mêlaient. Le chauffeur y était allergique. Il retint un éternuement.

VLAN !

Les cloches.

A toute volée.

Le cortège, maigre mais dense, quitte l'église où vient d'avoir lieu le baptême.

C'est Félicie la marraine. Elle tient le délicieux bébé dans ses bras. Elle est émue et y aurait pas besoin de la secouer longtemps pour que des larmes lui tombent des paupières.

C'est Pinaud le parrain. Il marche au côté de m'man, solennel, guindé, gourmé, rasé de frais, vêtu de noir, cravaté de gris. Il a les lèvres veuves de tout mégot et, pour une fois nu-tête, il va, tel un diplomate britannique, son chapeau neuf à bord roulé à la main et s'en fouette le mollet.

Pour assumer son rôle, il tient, de son autre main, un peton du petit Apollon-Jules, afin de bien marquer qu'en qualité de parrain, il a des droits sur l'enfant.

Les parents suivent, rayonnants. Alexandre-Benoît et Berthe, bras dessus, bras dessous, beaux d'amour, ivres du seul orgueil qui soit tolérable : l'orgueil paternel. Car enfin ça y est. Oui, ça y est ! Que dis-je : ÇA Y EST ! Ce couple sur le retour a pu procréer à la limite du hors-jeu. Quelques pratiques médicales sur la Bérurière, un traitement hormonal chez le Gros. La mise en application d'une position amoureuse propre généralement aux canins et en particulier aux lévriers, tous ces éléments conjugués aboutissent ce jour dans les bras de Félicie.

Apollon-Jules est né. Le voici, âgé de deux mois à peine, mais pesant seize livres déjà. Sorte de Gargantua vagissant. Le front plus bombé qu'un croissant de lune, inexplicablement rouquin, bigleux, mafflu, goitreux, adorablement obèse histoire de rendre un vibrant hommage à ses chers parents, le nez en coquille d'escargot, la bouche semblable à un bigarreau, les jambes torses because la graisse, les épaules musculeuses, modèle réduit de déménageur de pianos, voire de fort des halles, il gigote dans sa vie neuve, le bougre, gueulant à tout va, pissant à tout va, déféquant davantage qu'il ne consomme tout en brandissant des poings agressifs qui, probablement, un jour, feront trembler bien des mâchoires comme le dirait son géniteur.

Derrière le couple parental, il y a moi, donnant le bras à Mme Pinuche. Elle boitille à cause de son arthrite, ou de son arthrose, ou de sa décalcification, je ne sais. Tous les deux pas, elle s'arrête pour donner à son asthme un peu de répit.

Viennent ensuite Marie-Marie et son fiancé, le docteur Machegrin, homme jeune, beau et dynamique, et qui ne me paraît pas con du tout, ce qui me fait un tout petit peu chier, compte tenu de la jalousie qu'il m'inspire.

Mathias et sa femme ferment la marche. Une compagnie de C.R.S. des plus serviables a accepté de garder leurs dix-sept chiares, après avoir pris toutefois la précaution de placer les plus turbulents dans un parc clos de chevaux de frise.

Tiens! Toinet a disparu. Serait-il devant notre groupe, tel l'alezan sauvage caracolant en tête du

cortège ? Mais non, le voilà qui sort d'un confession-
nal. Il brandit son appareil photo pour m'expliquer
qu'il est allé changer de pellicule dans la sombre
guitoune aux péchés.

Les cloches remettent une salve. Ah ! oui, carillon-
nez, amies de bronze, pour célébrer l'entrée du
dauphin béruréen dans la grande famille catholique.

Il domine le son du clocher de son organe de ténor
frais pondu, Apollon-Jules. Irrésistiblement, devant
cet énorme poupard, je songe au fils de Grandgou-
sier et de la gente Gargamelle. Déjà force de la
nature, à deux mois à peine ! Volcan crachant la vie
comme son cousin l'Etna sa lave. M'man a grand mal
de garder ce pacxif tressautant dans ses bras de
mansuétude. Câliner ce boisseau de cabris en délire
est un exploit.

Qu'heureusement, ma chignole est à deux pas. Je
me désaccouple de la dame Pinaud pour déponner la
portière à Féloche. Elle s'installe à l'arrière avec
monseigneur le marmot-tard-venu. Pinuche la suit,
toujours superbe de tact et de chic ; sa pauvre épouse
souffreteuse prend place à mon côté (la place du
mort lui convenant à merveille) ; elle se meut avec
mille précautions, biscotte ses vertèbres nazes et
aussi ses plaies variqueuses qui suintent comme des
conduits de chiottes éclatés par le gel.

Bon, paré de mon côté.

L'heureux père est saboulé dans les beiges-Mitter-
rand, chemise canari, cravate orange. Il fait songer à
un tournesol épanoui.

— Tu sais où c'est-il qu'on clape, grand ?
s'informe-t-il, en hôte soucieux d'assurer la bonne
marche des festivités qu'il assume. Le *Goujon de la
Marne,* à Chennevières. Si t'arriverais le premier, tu
d'manderas la salle privée particulière à m'sieur
l'miniss.

— Je sais, je sais.

— J'ai r'tenu là-bas car y sont imbattab' sous l'rapport quantité-prix. Ça s'tire la bourre dans la soupe, d'nos jours. Sont obligés de baiser leurs prétendants ; c'est la loi de Joffre et de l'Allemande, quoi !

Il me quitte pour retrouver la jolie maman d'Apollon-Jules tout en bleu, jupe plissée, chemisier à ramages, renard argenté sur les épaules. Le carnassier a perdu un de ses yeux de verre et cette borgnitude incommode. Berthe à qui je me suis permis d'en faire la remarque, m'assure qu'à la place du lampion manquant elle coudra un bouton de braguette à son homme ; ce qui devrait alléger l'infirmité du malheureux renard.

Le cortège s'ébranle. Quatre voitures.

— Avec qui Toinet est-il monté ? s'inquiète Félicie.

— Je l'ai confié aux Mathias, rassuré-je ; ils sont habitués aux cyclones.

— Nous aurions pu le prendre avec nous, ta voiture est suffisamment vaste.

Apollon-Jules remue-ménage jusqu'au délire. M'man diagnostique une faim de loup. Le parrain prie ma chérie de lui confier le fauve.

— Vous l'avez suffisamment coltiné comme cela, chère madame. Un peu à moi !

Félicie fait droit à sa requête afin de ne pas désobliger l'Ancêtre. Et voilà César avec du chiare plein les brandillons, s'efforçant de contenir la tornade.

— Il a de la vitalité, assure cet homme qui en manque tellement.

Je drive moelleux pour que notre escadrille ne se désunisse pas. On biche bientôt la voie sur berge, et puis on remonte au bout d'un temps pour continuer sur l'autoroute aménagée dans le lit de l'ancien canal. Et bon, on passe Saint-Maurice, on oblique sur la droite. Mme Pinaud me prie de ralentir pour qu'elle puisse gober deux de ses pilules contre les maux d'estomac. M'man commet l'imprudence de lui parler de sa santé et la vieille délabrée plonge par l'ouverture et nous assène, coup sur coup, son pylore mité, ses ovaires carbonisés, sa rate ébréchée, ses calculs rénaux, les friponneries de son gros intestin, le lâchage de son foie, son dernier pontage, son herpès aux fesses, l'ablation de sa vésicule, son pneumothorax, ses fistules au complet, ses fissures en cours, l'angine herpétique de l'automne passé, son kyste en voie de développement, le fibrome dont il faut l'opérer et tous les examens entrepris sur ce qui subsiste de sa personne physique. Le tout nous mène sans encombre jusqu'à La Varenne. On suit alors la Marne jusqu'à une guinguette classique à l'enseigne du *Goujon de la Marne,* précisément.

Parvenus à destination, nous notons une forte odeur dans ma Maserati. Une rapide enquête nous amène aux constatations suivantes : Apollon-Jules a déféqué de fond en comble sur Pinuche, sa couche s'étant malencontreusement déplacée. L'heureux parrain aura du bonheur pour l'année car il est tartiné du torse jusqu'aux mollets. Même son beau chapeau neuf qu'il avait déposé sur la banquette ressemble désormais à un vase de nuit après usage. La situation est grave, mais non désespérée. Berthy, la jolie petite maman embarque d'autor l'emmerdé et le démerdé aux chiches (tardivement, hélas) afin de remettre de l'ordre dans la situation.

Le gentil papa, peu troublé par les premiers méfaits de son hoir, nous guide au « Salon Bleu », ainsi nommé je pense parce qu'il est peint en vert et que le nappage est d'un rose fringant. Au fond dudit, sur une petite table, une bouteille de Martini, une autre de Ricard et une troisième d'Alsace nous attendent pour l'apéritif. Un jeune serveur, dont la veste blanche témoigne encore du menu de la veille, commence à servir ces breuvages de qualité à qui les réclame.

— Si vous permettrez, déclare alors Alexandre-Benoît. Du temps qu'Berthaga décamote Pinuche et not' enfant, faut qu'je vais vous lire l'menu ; et vous constaterez qu'il est pas si m'nu que ça !

Là il place un rire qu'il voudrait déclencheur, mais qui trouve peu d'écho dans notre assistance à tendance intellectuelle.

Sa Majesté l'ancien miniss (si j'ose m'exprimer de la sorte) va prendre un bristol graisseux sur la table dressée en vue de nos proches agapes. Il s'éclaircit la voix par un toussotement préalable ponctué d'une expectoration dont il balance les résultats par la fenêtre ouverte. En bas, quelqu'un rouscaille, comme quoi il vient de morfler le glave en pleine poire. Béru va lui crier que, quoi, merde, si on rigolerait pas un jour de baptême, merde, autant rester couché, merde !

Puis il se met à déclamer ce qui, pour lui est bien plus beau que du Verlaine, bien plus fort que du Hugo :

— Pour commencer : andouille de Vire. N'ensuite : friture d'la Marne. On continuerera par des tripes à la mode de Caen ; puis par d'la tétine de vache r'venue aux z'oignons, que c'est l'espécialité d'la maison. Pour poursuivre, y aura du boudin aux deux pommes. Puis : fromage-à-la-crème à la crème, beignets de saison, profiteroles au chocolat et desserts. Ceux qu'aimeraient pas d'un plat, ce que je doute mais quoi, on trouve des peigne-culs partout, ceux-là qu'je cause pourraient l'remplacer par une omelette aux œufs, mais va falloir faudre le dire avant d'commencer vu qu'les grands chefs de cuisine culinaire aiment pas qu'on les fait chier en plein service, ce qu'est compréhensive.

« En ce dont qui concerne les vins, y aura beaujolais, muscadet, asti qui pue la menthe entièrement en provenance d'Italie, marc de Savoie et Chartreuse jaune de Parme pour les dames. Quéqu'un a-t-il-t'il quéqu'chose à objectionner ? Non ? Banco ! Ah ! V'là Pinuche. Montre un peu, parrain ? Mouais, elle t'a décapé l'plus gros, mais tu fouettes encore tant tellement et si bien qu'je te conseille d'enl'ver ton beau costar et d'le mett' au portemanteau, en bas. Moi, l'odeur d'la merde m'a jamais dérangé, mais y a des natures délicates parmi nous que j'voudrais pas les faire déguster c'magnifique menu kif s'ils seraient bouclarès dans les gogues. Comme j'sais qu'tu portes des caleçons longs, César, tu peux déjener en p'tite tenue, n'est-ce pas, méames ? D'alieurs, c'est pas ce qu'il aurait à vous montrer qui vous f'rait pousser des cris d'orfèvres, croilliez-moi. Notez qu'avec sa zézette d'officier d'caval'rie, y n'se défend pas trop mal, l'Ancêtre. Maâme Pinaud ici présente peut témoigner, si ell' s'souviendrait encore de leur époque héroïque. Césaroche, j'lu ai vu grimper des gaillardes qu'y fallait pas leur en promettre, sauf le respecte qu'j'vous dois, Ninette. Il allait à la tâche comme un grand, son petit cul de lapin maigre activant tout berzingue, j'vous promets. C't'un consciencieux, bistougnet ou monstre chibraque style moi-même, l'homme consciencieux fait reluire sa mousmé, je démords pas. Bon, on s'enfouit un deuxième apéro et on passe à tab'. »

C'est à ce moment précis, comme on dit toujours et depuis si longtemps dans les feuilletons bien torchés, que surgit un personnage familier, en l'occurrence le brigadier Poilala, huissier auprès du Saint-Siège d'Achille, notre père à tous.

Poilala, c'est tout un bonheur à emporter. T'en ai-je suffisamment parlé ? Non, sans doute. On ne s'exprime jamais assez sur les êtres intéressants. Imagine un canard à moustaches, chauve du devant, le nez en pied de marmite, le regard pincé, ce qui lui donne l'air bigleux. Hautement ganache. Mais courageuse ganache ; dévouée à ses maîtres jusqu'à la mort. Teigneux avec ses inférieurs, servile avec ses supérieurs, le vrai vieux brigadier de jadis, quoi ! L'honneur de la France !

Il est en uniforme mais tient son képi sous le bras, tel un général arrivant chez la marquise de Montroux-Céfiny.

Il rougit de confusance.

L'apercevant, Béru exclame :

— Poilala ! En v'là n'une surprise ! Comment se fait-ce ?

— Mes respectes, m'sieur l'miniss, mande pardon pour l'dérangeage, c'est au commissaire Santonio que j'en aye.

— Faisez, faisez ! déclare le Magnanime. Mais comment t'est-ce t'as su qu'il était là ?

— Vous avez envoilié une invitation au Vi... à môssieur l'direqueur.

— Dont il n'a pas pu accepter, j'sais, renfrogne Bérurier.

— C'est lui qui m'a indiqué le lieu d'c'te cérémonie. A propos, m'sieur l'miniss, je pourrais-je voir, le bébé ?

— Il va viendre dans un instant, renseigne le Mastodonte ; il s'était chié parmi et sa p'tit môman l'nettoye. Les bébés, tu sais, c'est pas un ciné de curé.

Je trouve opportun de m'enquérir auprès du brigadier de ce qui motive sa venue inopinée au *Goujon de la Marne*.

Il me prend à l'écart et, la voix belle, le regard en mission, la moustache horizontale, me chuchote :

— En bas, dans une Ross-Roll, y a un monsieur de la haute, ami du Vi… de môssieur l'direqueur. C't'homme aurait des problème dont j'ignore lesquels sont-ce. Môssieur l'direqueur veut qu'v'v's'en occuperez de toute urgence.

J'enrogne. Pas mèche d'être peinard. Je sens que ce repas de baptême, unique au monde, va être carbonisé pour moi.

Berthe se pointe avec son produit dans les bras. Prodige de la maternité : elle paraît être une toute jeune maman. Poilala s'empresse et part dans des exclameries sans fin, comme quoi c'est tout son père, avec quelque chose de sa mère, là, là et là…

Je descends parler au môssieur de la Ross-Roll.

Le noble véhicule est de couleur bronze foncé avec un léger liséré mordoré à hauteur des poignées de portes. Au volant se tient un chauffeur sans livrée (ça se fait de moins en moins) mais en bleu croisé marine.

J'avise près de la voiture un homme bien mis, élégant, les cheveux gris, le visage allongé, très bronzé.

Ce qui frappe c'est que, malgré la dignité de son maintien et l'élégance de sa mise, il ressemble à un type au bout de son rouleau. Il y a en lui quelque chose de brisé, de hagard, de désemparé et, surtout, d'infiniment las. Il pourrait jouer l'industriel ruiné au sortir du casino ; le gentleman totalement décavé qui se demande s'il va pouvoir rentrer chez lui pour se filer une bastos dans le cigare, ou bien si, ne s'en sentant pas l'énergie suffisante, il n'est pas préférable d'aller s'allonger sur la voie ferrée pour confier son problème aux roues du T.G.V.

En me voyant venir à lui, il comprend que je suis moi et un suprême effort de volonté bande ses muscles.

Il me tend la main.

— Alain Lambert de Vilpreux, se présente-t-il.

— Commissaire San-Antonio.

— Je suis un vieil ami de...

— D'Achille ?

— Oui. Il m'a dit que ce qu'il pouvait faire de mieux pour moi, c'était de me mettre en contact avec vous...

Je salue comme ceux qui *morituri*.

Nous nous mettons à marcher le long d'un massif de rosiers borduré par un muret de ciment. Des odeurs de graillon arrivent des cuisines en nuage épais. L'endroit est pittoresque, folklo. Une survivance de Renoir, des guinguettes de l'époque Bruant. On aperçoit une barque de bois à la renverse sous un hangar de tôle. Dans une vaste cage grillagée, des lapins indifférents grignotent avec un bruit de rasoir électrique des trognons de choux provenant du jardinet qui fait suite au massif de rosiers. Le ciel est gris-samedi, avec des traînées jaunasses, genre slip pisseux.

Un instant de silence, et puis Alain Lambert de Je-me-rappelle-plus déclare :

— Ma fille a disparu, monsieur le commissaire.

— Quand ?

— Dans la nuit de jeudi à vendredi.

— Dans quelles circonstances ?

— Nous avions passé la soirée dans un club de la rive droite, le *Pasha*, en compagnie d'un couple d'amis. Ensuite nous avons regagné mon hôtel particulier de la rue d'Andigné. Parvenus devant la

maison, ma fille est descendue de la voiture tandis
que je remisais celle-ci au garage. Lorsque j'ai eu
terminé cette manœuvre, Alice n'était plus là.
Comme elle n'avait pas les clés de la maison sur elle,
elle ne pouvait être rentrée. Je l'ai appelée, j'ai
arpenté la rue. Par acquit de conscience, je suis
rentré chez moi, mais non : elle avait bel et bien
disparu. C'est alors que je me suis rappelé qu'une
voiture nous suivait depuis un bon moment. Je n'y
avais pas tellement prêté attention, croyant à une
coïncidence de parcours, comme il s'en produit
fréquemment. D'ailleurs, lorsque j'ai stoppé devant
chez moi, la voiture en question m'a doublé.

— Vous avez pu enregistrer la marque ?

Il hocha la tête.

— Une grande voiture, spacieuse. Américaine ou
allemande, sombre. Impossible de préciser.

— Quel âge a votre fille ?

— Vingt-deux ans.

— Mariée, fiancée ?

— Non.

— Un ami ?

— Des amis. C'est une femme de tête. Pas du
genre liaisons. Je suis veuf et nous menons une
existence très... soudée, elle et moi. Elle ne me cache
rien.

In petto je me dis qu'après les époux, les papas
sont les hommes les plus crédules de la création.
Leurs grandes fifilles parviennent à leur faire avaler
n'importe quelle salade non assaisonnée.

Sans doute capte-t-il mon scepticisme car il murmure :

— Puisqu'elle me disait tout, pourquoi m'aurait-
elle menti ? Je suis un père à l'esprit large, capable de
tout comprendre. Quand il lui arrivait d'avoir une
aventure avec un homme, elle me l'avouait sans que

j'eusse à lui poser de question. Alice a des copains, surtout des copains. Il lui est arrivé d'aller un peu plus loin avec l'un d'eux, sans qu'elle en fasse mystère.

— Cela lui arrive souvent ?

— Non. Elle m'annonce la chose d'un ton amusé. Sa préoccupation principale, voyez-vous, c'est de « s'accomplir ». Je ne veux pas parler de surdouée, mais elle est licenciée en droit depuis l'an passé et a créé dans mon entreprise un département marketing qui fonctionne du feu de Dieu.

— Vous avez une photo d'elle ?

Il l'avait préparée et me la tend comme par magie, sans que je la lui aie vu prendre dans sa poche.

Je fais hardiment tilt. Ce qu'il m'annonçait de sa môme me donnait à croire qu'elle n'était pas laubée, la gosse. Les filles surdouées, presque sérieuses, qui vivent avec leur papa et s'activent dans leur usine ont généralement des frimes peu comestibles. Mais alors, là : oh ! pardon. Une souris mignonne à bouffer crue.

Blonde, harmonieuse, mutine, intelligente. Un regard clair qui doit te décortiquer en deux secondes ; une bouche charnue faite pour le sourire et le baiser. Des fossettes presque enfantines. Un rêve !

On marche jusqu'au hangar où est remisée la barque et on s'assoit sur l'embarcation renversée.

Ça fouette de plus en plus le graillon dans le coinceteau. Un gros chien borgne à l'œil laiteux s'approche de nous d'une allure épuisée tant il est gras et probablement vieux. Son infirmité lui donne l'air méchant, mais c'est un brave toutou qui vient fourrer sa truffe dans ma braguette pour un « salut les copains » débonnaire.

— Je peux la conserver ? demandé-je à Lambert de Moncul en levant la photo.

— Naturellement.

— Continuez votre récit.

Quelque part, un air d'accordéon éclate. C'est le Gros qui a voulu un repas en musique. Je reconnais Mme Yvette Horner, chevalière de la Légion d'honneur dans ses œuvres. De toute beauté !

— Vous dire mon angoisse !

— Inutile, en effet, soupiré-je.

— J'ai ressorti ma voiture, fait le tour du quartier, sillonné toutes les allées du bois de Boulogne proche. Je m'imaginais que des partouzards en goguette avaient forcé Alice à monter avec eux. D'ailleurs, lorsque j'ai compris qu'une voiture nous filait, j'ai cru qu'il s'agissait « d'amazones » motorisées, ou bien d'un couple en quête de partenaires. A pareille heure et dans ce quartier, la chose est fréquente. Je suis rentré à la maison et j'ai attendu toute la nuit.

— Vous n'avez pas songé à prévenir la police ?

— Bien sûr que si, mais je ne croyais guère à son efficacité, sans vouloir vous désobliger, monsieur le commissaire. Je me voyais dans un commissariat presque désert, face à un gardien de la paix maussade qui enregistrerait ma déposition en ronchonnant. Je me rendais compte qu'à ce niveau policier, rien ne serait déclenché immédiatement et que, de toute manière, il était trop tard pour se lancer à la poursuite de ces gredins. J'ai donc décidé d'attendre.

— Qu'espériez-vous ?

— Le retour d'Alice dans le cas où elle aurait eu affaire à des déréglés sexuels. Ensuite, j'escomptais une demande de rançon. J'ai passé la journée près de mon téléphone. Et puis encore la nuit suivante. Je n'ai pas fermé l'œil une seconde depuis jeudi matin.

Il me fait de la peine. Il paraît tellement vidé, cet homme. Tellement à bout d'énergie, à bout d'espoir.

— Ce matin, à l'aube, je me suis souvenu que je connaissais le directeur de la police judiciaire pour

avoir fait une partie de chasse en Sologne en sa
compagnie, voici quelques années. Je l'ai appelé et il
m'a reçu aussitôt.

— Et alors ?

— Il m'a dit que j'avais peut-être eu raison de
garder le silence. Tant que la presse ne se jetterait
pas sur l'affaire, on conserverait les coudées
franches, et au cas où des transactions s'établiraient,
on aurait une bien meilleure possibilité de manœuvre.

— Exact, approuvé-je.

Alain Lambert de Mes Chères Deux poursuit :

— Votre directeur a réfléchi et m'a dit : « On va
confier cette affaire à San-Antonio, c'est mon super-
man ; il va nous débrouiller tout cela. »

J'encaisse le compliment du Dabe, pas fâché de
constater qu'il pense de moi plus de bien qu'il ne
m'en dit.

Lambert de Chosetruc prend la main gauche que je
laissais traîner sur mon genou également gauche et la
presse.

— Je suis au fin fond de l'horreur, commissaire. Je
veux retrouver ma petite fille ! Il le faut ! Il le faut.

A bout de nerfs, il éclate en sanglots. Je passe un
bras fraternel sur son son épaule et on reste là, en silence,
tandis que le gros cador borgne nous considère de
son unique lampion en battant la mesure avec sa
queue en cor de chasse.

Béru se pointe, le front barré de deux traits,
comme un chèque ou le sigle de la lire.

En nous découvrant, l'homme à la Rolls et moi,
dans cette attitude peu usitée chez des messieurs qui
ne se connaissent que depuis dix minutes, il reste un
instant perplexe, puis se décide :

— 'scusez-moi si j'vous d'mande pardon, m'sieur-
dame, et d'interrompre vos infusions, s'il ment,

Tonio, l'service est forcé d'être obligé d'commencer, vu qu'la friture, ça n'attend pas.

— Gros, soupiré-je, pardonne-moi, mais je ne vais pas pouvoir assister au repas. Notre boss me met sur une enquête urgente et grave. Je dois partir. Tu mettras maman et Toinet dans un taxi, après les agapes, si tu veux bien.

Il y a quelque chose de superbe chez Bérurier : son sens du devoir. Tu croirais qu'il va râler, exploser, déplorer ? Que nenni. Il opine sobrement, renifle et dit :

— Bon, ben, à l'impôt-cible, nul détenu, mec. On va attaquer la clape dare-dare. Bon turf, mes n'veux t'accompagnent.

LA CAGE

Alice ouvrit les yeux et resta longuement prostrée. Elle ne comprenait pas et, même, ne se rendait pas compte qu'il y avait « quelque chose à comprendre ». Une sorte de paix organique, de bien-être souverain, la tenait « en réserve » d'elle ne savait quoi. C'était douceâtre, agréable, lumineux. Un faisceau de sensations capiteuses proches du plaisir. Elle distinguait une pièce blanche luxueusement meublée à l'orientale, des soieries moirées, une profusion de fleurs, un amoncellement de tapis et d'énormes coussins, plus une gigantesque cage dorée où s'ébattaient des oiseaux chatoyants.

Un rêve en technicolor. Elle admirait la porte de cuivre ouvragé. Son regard glissait insensiblement vers d'autres points d'intérêt : une somptueuse corbeille emplie de fruits, une caissette contenant des confiseries aux tons pastel, un brûle-parfum délicatement ouvragé et, sur l'immensité artistiquement « talochée » d'un mur blanc, une toile abstraite, étrange en ce décor, de Kandinsky, peut-être. Alice croyait reconnaître la facture du maître.

Elle tenta de mieux connaître son « territoire », se mit sur son séant. Elle était allongée sur un lit bas, immense, et cernée par des coussins qu'elle eut quelque mal à déblayer. Elle se sentait légère, dispose. Elle portait une espèce de robe de chambre légère par-dessus son slip et son soutien-gorge.

Alice quitta sa couche afin d'inventorier les lieux. Une vaste fenêtre arrondie donnait sur un jardin intérieur luxuriant. Elle était pourvue de barreaux ouvragés comme en comportent les maisons andalouses. Alice poursuivit son exploration et gagna la porte de cuivre qui se composait de deux battants munis d'un va-et-vient. Elle la franchit et se trouva dans une espèce d'antichambre servant de dressing-room. Le lieu comportait des penderies modernes, un canapé occidental, et deux portes dont l'une donnait sur une luxueuse salle de bains. Elle ne put ouvrir l'autre qui se trouvait fermée de l'extérieur, par un verrou probablement, car elle ne possédait pas de serrure. Donc, elle était enfermée.

Alice revint dans la chambre et s'assit sur une pile de coussins pour réfléchir. L'immense félicité qu'elle éprouvait gênait ses réflexions. Il est difficile de concentrer ses pensées quand on se sent béat. Elle tentait très confusément d'analyser par quel mystère elle se trouvait dans cet endroit exotique. En elle, c'était la brume. Une brume dorée, radieuse, dont elle n'avait pas envie de se dégager.

Elle s'abandonna, les bras en croix, dans le moelleux des coussins. Les oiseaux de la cage pépiaient gaiement. Les fleurs sentaient bon. Elle avait envie de faire l'amour.

BING !

Nous sommes convenus de nous retrouver devant le *Pasha Club*, Alain Lambert de Tes Deux Mignonnes et moi. L'établissement n'ouvre que le soir, mais je tiens à refaire en compagnie de mon « client » le parcours qu'il a suivi avec sa fille dans la nuit de jeudi à vendredi. Aussi je gare ma tire près du club et monte avec lui dans sa Rolls.

— Ça vous ennuie de piloter vous-même ? lui demandé-je. C'est préférable plutôt que de donner des indications à votre chauffeur.

— Volontiers.

On assiste alors à cette chose jusqu'à présent inusitée : le chauffeur va se prélasser sur la banquette arrière tandis que le « maître » s'installe au volant.

— J'aimerais que vous m'indiquiez à partir d'où vous vous êtes aperçu qu'on vous suivait, monsieur Lambert.

Il acquiesce d'un signe de tête. Et puis, soudain, il pile, ce qui me balance le tarin dans le pare-brise. Ça a beau être un pare-brise de Rolls, il n'est pas en caoutchouc et voilà que je me mets à raisiner du pif comme le premier apprenti boxeur qui n'a pas vu arriver un uppercut du droit.

Un taxi qui nous suivait de trop près manque nous emboutir et son driver se défenestre pour annoncer à

Lambert qu'il est un manche à couilles, un enviandé de capitaliste dont le tas de ferraille est tout juste bon à coltiner le cul sexagénaire de la reine d'Angleterre (et du Commonwealth).

— Je suis navré, me dit mon malheureux conducteur, tandis que je me tamponne les narines, la tête renversée, et que son chauffeur se retient de ricaner, mais il éjacule en loucedé dans son kangourou, l'artiste.

— Pas grave ! articulé-je laconiquement, tout en déplorant dans ma Ford intérieure cette foutue idée que j'ai eue de lui demander de conduire.

— Vous savez ce qui vient de m'arriver, commissaire ?

— Dites ?

— En démarrant, j'ai compris que cette fameuse voiture noire nous a filés « depuis le *Pasha Club* ».

— Comment avez-vous « compris » cela ?

— Probablement en refaisant la manœuvre de l'autre nuit. Je me rappelle brusquement qu'une auto a déboîté juste comme je laissais ma place libre. Une auto qui devait stationner sur le trottoir, à l'angle des rues. Et puis nous nous sommes mis à parler avec nos amis et je n'y ai plus pris garde. J'ai déposé mes amis chez eux, à Neuilly, boulevard des Sablons.

— Qui sont ces gens ?

— Lui est notre médecin de famille, le docteur Marate. Nous nous voyons de temps à autre.

Il s'est remis à rouler. On pique sur les Champs-Zé. Ça bouchonne ferme.

— Vous êtes passés par ici ?

— Oui, car au milieu de la nuit, c'est beaucoup plus fluide. J'ai craché les Marate devant leur domicile, puis j'ai coupé par le Bois. Et c'est alors que je me suis aperçu qu'on nous suivait.

Il refait le trajet de la fameuse nuit, s'arrêtant

devant l'immeuble en pierres de taille où habite son toubib dont la plaque scintille faiblement dans le jour gris.

Puis il repart... Le Bois... Nous roulons jusqu'à son domicile.

— Voulez-vous entrer, commissaire ?

— Volontiers.

Nous descendons tandis que le chauffeur reprend possession de la tire pour la remiser.

— Qui est au courant de cette affaire, monsieur Lambert ?

— Mes domestiques : un couple de Yougoslaves à mon service depuis une quinzaine d'années. De braves gens, discrets par obligation car ils ne connaissent pas deux cents mots de français. Tania pleure comme une madeleine.

— Et en dehors d'eux ?

— Les Marate.

— C'est tout ?

Il hésite.

— Il y a également une amie à moi, très... intime.

— Puis-je vous demander ses coordonnées ?

— Est-ce nécessaire ?

— Vous savez bien, monsieur Lambert, que TOUT est nécessaire dans un cas comme celui-là

— Mon amie tient une maison de couture, « Chez Belle Isabelle », rue du Colisée ; elle se nomme Isabelle de Broutemiche.

Je me récite in petto qu'il faut pas craindre, quand on se prénomme Isabelle, d'appeler sa boutique « Chez Belle Isabelle ». Je la pressens vachetement chochotte, la dame. Hautement « ta bite à un goût » !

— Si je récapitule, fais-je, entre les domestiques, le docteur et sa femme, et Mme de Broutemiche pour propager la nouvelle, un millier de personnes environ sont déjà au courant de l'événement.

— Pensez-vous ! s'insurge Alain Lambert. Ils m'ont tous juré le secret.

— Je m'en doute. S'ils ne vous l'avaient pas juré, on pourrait tabler sur trois mille personnes. Vous savez bien que chacun de vos confidents possède une dizaine « d'amis sûrs » auxquels ils auront révélé la chose sous la foi du serment. Demain dix mille personnes la sauront, et après-demain, immanquablement, la presse commencera à pointer le bout de l'oreille ; nous devons donc agir rapidement. Quelqu'un répond au téléphone en votre absence ?

— Je me suis mis sur répondeur.

— Commençons par relever les appels !

La crèche d'Alain Lambert est superbe, un peu grandiose sur les bords et représente à la perfection ce que je hais dans l'immobilier, le mobilier et la décoration. Je m'abstiendrai donc de te la décrire afin de ne pas te vexer, car je parie que chez toi ça ressemble à ce machin bourgeoiso-prétentiard-dix-huitième.

Lambert m'entraîne dans son bureau-bibliothèque, pièce un peu moins conne que les autres à cause des livres qui en garnissent les murs. Il se précipite sur son répondeur.

— Il y a eu trois appels, m'annonce-t-il.

Il rembobine et branche sur le « play ». Une voix de femme un peu rauque, avec des vibratos bandants et des pleurs en arrière-gorge, déclare qu'elle est Maryse.

— La femme du docteur Marate, m'avertit rapidement Lambert.

La dame en question murmure simplement :

— « Je venais aux nouvelles, mon pauvre Alain. Nous n'avons pas fermé l'œil de la nuit. Si vous saviez ! »

Comme s'il ne « savait » pas, ce pauvre père mort d'angoisse !

Le deuxième coup de grelot est de sa secrétaire qui demande si sa *grippe* va mieux.

Du regard Lambert me fait comprendre qu'il a allégué la maladie pour expliquer son absence d'hier à son entreprise. Le troisième émane d'un tapissier annonçant que le grand canapé Louis XV est « fini de recouvrir » et que si on le rappelait avant onze heures, il pourrait le livrer avant midi.

Mon hôte jette le combiné sur sa fourche.

— Toujours rien ! soupire-t-il.

Il vieillit à vue d'œil, le malheureux.

— Vous devriez demander à votre ami toubib qu'il vous ordonne quelque remontant, monsieur Lambert, vous en avez besoin.

Il hausse les épaules et se laisse choir dans un fauteuil.

— Vous permettez que je jette un œil à la chambre de votre fille ?

Geste las. Il permet tout.

La mère Tania me conduit. C'est un grand bourrin taillé à coups de serpe, comme on dit puis en littérature. Hommasse, rougeasse, chougniasse. Elle paraît être la mère de son mari. Je lui ordonne de me conduire à la chambre de mademoiselle et elle me précède en psalmodiant des incantations serbo-croates.

Escalier gravissant, je lui demande si, ces derniers jours, elle a constaté quelque chose de suce pet dans l'entourage de Mlle Alice. Des gens rôdaient-ils devant la maison ? A-t-elle reçu des visiteurs inconnus ? L'a-t-on demandée au téléphone ? Alice a-t-elle fait part à Tania d'incidents qui l'auraient troublée ?

Non, non, répond la Yougoslave. Tout bien. Tout normalien.

La chambre est vaste, élégante et fonctionnelle à la fois, un peu moins gourmée que le reste de la crèche, moins tartignole. C'est le « nid douillet » d'une jeune fille cultivée. Beaucoup de toilettes de classe. Beaucoup de livres qui « forment l'esprit » : bouquins de philo, essais, San-Antonio, classiques, biographies d'hommes célèbres, etc.

Je déniche du courrier dans les tiroirs du mignon burlingue. Des lettres d'amies, sans grand intérêt, une missive enflammée d'un certain Eric qui se languit d'elle. Mais la bafouille remonte à trois ans. Dans un grand carnet à couverture de cuir et au papier filigrané, quelques notes, des pensées plutôt, qui sont probablement d'elle ou qu'elle a fait siennes. Exemple : « Il est difficile d'aimer qui l'on méprise. » A qui pensait-elle ? A son père ? A la maîtresse de ce dernier ? Est-ce un amant qui lui a inspiré cette sentence définitive ?

Des photos plus ou moins anciennes... Sur presque toutes une jeune femme revient, à qui Alice ressemble. Sa mère, à n'en pas douter.

Je me biche un coup de cafard noir, moi, dans cette chambre dont on a kidnappé l'occupante. Une espèce de lien ténu est en train de se créer entre Alice et moi.

Je décroche le bigophone pour appeler le service des écoutes. Je me fais connaître et ordonne à mes confrères de placer les lignes d'Alain Lambert de Mongrozizi sur leurs tablettes. Tout devra être enregistré et tenu à ma disposition. Qu'ensuite de quoi je tube à la Grande Taule pour que quelqu'un vienne planquer devant l'hôtel particulier de Lambert.

Ça c'est le tout venant, les premières mesures classiques. Mais je m'interroge en grand secret, je vais carillonner à la porte de mon instinct pour lui demander ce qu'il pense de ce bigntz. Il ne m'ouvre pas, mais, à travers le battant, il me dit que cette affaire n'est pas « courante ». On ne réclamera pas de rançon. Il ne sent pas ça du tout, mon sub. Onc n'appellera le daron d'Alice. Ceux qui ont kidnappé la gosse n'ont rien à cirer du blé de son papa. Il s'agit d'autre chose.

Soudain, je me casse. Rien à foutre dans cette baraque. La vérité se trouve ailleurs.

— Voilà, je vous laisse. Prenez des calmants, monsieur Lambert, et essayez de dormir un peu. Il faut que vous soyez d'attaque. Votre fille, quelque part, a besoin que son père soit en forme.

Mon langage l'arrache à sa léthargie.

— Vous croyez qu'elle est vivante, commissaire ?

— Naturellement.

Il me tend la main.

— Vous me la retrouverez ?

— Oui.

Gonflé, l'Antonio, non ? Charitable, certes, mais faut oser !

Le valet-chauffeur, Mikael, s'apprête à me reconduire à ma chignole, mais je refuse et marche jusqu'à la prochaine station de taxis. Par chance, il y en a un. Le conducteur, un vieux crabe tout moisi lit *l'Equipe,* à travers des lunettes aux verres larges commak. A son côté, sur le siège passager, un fox-terrier examine les passants d'un air blasé. Il a une oreille cassée et une tache noire sous sa truffe, ce qui le fait ressembler à Adolf Hitler.

Je prends place. Le chauffeur achève le passionnant article consacré à Platini, puis il plie son baveux et, sans se retourner, me demande où « nous allons ».

— A moins que vous n'y voyiez un inconvénient majeur, moi j'aimerais bien aller boulevard des Sablons, lui avoué-je.

Il ne répond pas, déclenche son compteur, puis son moteur. Comprenant que nous partons en croisière, le Führer à poils ras se love sur la banquette où il s'assoupit séance tenante.

Par contre, c'est une Portugaise à poils longs qui m'ouvre la porte du docteur Marate (en un seul mot, et non en deux maux comme on pourrait s'y attendre). Charmante personne au demeurant : la moustache est belle, le cheveu coiffé à l'huile d'olive, l'œil de braise, le fessier de baise, la jambe couverte d'astrakan plus ou moins défrisé et les pieds chaussés de mules délicates en provenance des Charentes.

Comme il est presque quatorze heures au méridien de Greenwich, je suppose que les Marate en sont au café. Mais que non : le docteur a cabinet, quant à madame, elle se repose.

Je demande à la soubrette ibérique de bien vouloir interrompre la sieste patronale pour annoncer à dame Marate qu'un commissaire de police la demande.

L'ancillaire sourcille au mot police.

— C'est à cause de sa voiture, hein ? s'enhardit-elle à questionner. Madame se gare toujours n'importe où.

Je lui souris mystérieusement afin d'accréditer l'hypothèse et *menina* Maria se retire, heureuse d'avoir deviné juste.

Peu de temps s'écoule avant que je sois reçu par la maîtresse de ce cher vieux Maison. Mme Marate est une somptueuse rousse du genre auburn, mais avec des mèches flamboyantes qui font ressembler sa chevelure exubérante à un tas de broussailles enflammé. Carrossée par Pina Farina, grande, superbe, le regard d'un bleu tirant sur le vert, la bouche charnue, elle en balance à tout va, crois-moi. Tu la prendrais pour une star des années 60, sauf qu'elle n'a pas encore quarante balais. C'est de l'animal de concours ! Un navire de délices en partance. T'as qu'une envie : grimper à bord et plonger dans la cale.

Elle a passé une robe de chambre verte, pure soie, avec des revers plus sombres. Par-dessous, m'est avis qu'elle ne porte ni armure ni gilet pare-balles, et peut-être même pas de soutien-gorge vu que les deux boutons molletés qui se dressent sur sa console m'ont l'air dépourvus de toute protection.

Je raffole être reçu par des gerces en déshabillé ; je les sens plus proches de moi, plus… atteignables.

Aussitôt, un début de Parkinson agite mes mains. Elles tremblent tellement que je voudrais pouvoir les planquer dans sa culotte pour lui dissimuler le phénomène.

— Vous devez deviner ce qui m'amène ?

Elle me frime suave. Une ombre de grande tristesse passe sur son regard d'azur comme un nuage sur… Attends, j'avais préparé une phrase très jolie pour faire plaisir à Maurice Rheims qui me dit du bien de partout, et voilà que je la retrouve plus, merde ! Ah ! si ! « Une ombre de grande tristesse passe sur son regard d'azur, comme un nuage de pluie sur l'eau limpide d'un lac de Laponie. » Voilà. Ça vous plaît-t-il, maître ? Comment ? Ça ne casse rien ? Vous trouvez ? Ça fait certificat d'étude primaire ? Oui, mais des Panzani, maître ! Comparez pas la compofran d'un petit branleur et la métaphore d'un Sana quatre étoiles, dont une de David. C'est pas la même encre qui coule, ni la même blenno. Y a lyrisme et lyrisme, c'est pas à vous que je vais l'apprendre. Vous êtes le genre à pas confondre un bonheur-du-jour avec une table de nuit. Moi, je voulais juste vous offrir un petit brin de vraie littérature, par reconnaissance ; mais si vous préférez mes escargots à la parisienne, après tout, ça vous regarde. Alors, je vous en mets une douzaine ? D'acc. Grosse bise !

Ma question la déconcerte un brin car elle redoute une maldonne possible. Peu vraisemblable, mais y a que l'invraisemblable qui se produit. Le prévisible, c'est seulement en politique. Par exemple, tu vois les socialos et les cocos qui forment un gouvernement. Tu rigoles de pitié. Tu dis « ça va pas durer, cette kermesse ! ». Et puis, fectivement, ça ne dure pas. Mais dans la vraie vie des gens honnêtes, pas la peine d'espérer Grouchy ; Blücher est déjà en route ! T'attends Godot et t'as Mauroy.

Comme je la darde sans faiblir, elle finit par murmurer :

— Alice ?

— Vous avez gagné. On peut parler tranquillement ?

— Venez dans mes appartements.

Elle marche de vent, répandant des senteurs indicibles. On longe le hall, on passe devant le salon d'attente du doc où trois personnes morfondent en faisant mine de se passionner pour les *Jour de France* de 1975. Et puis on oblique à droite par un couloir plus étroit tendu de velours grège. Un boudoir prolonge une chambre à coucher. Entièrement Louis XV taillé dans la masse !

Je suis pas fana de parfums, je veux dire artificiels. Les odeurs en flacon, moi, merci bien, alors qu'il y a des genêts plein la lande, des aubépines dans tous les buissons et des chattes de femme à foison ! Je reconnais pourtant que chez la madame au toubib, ça fouette superbe, genre extase.

Elle me montre un fauteuil crapaud.

— Prenez place, et veuillez m'excuser de vous recevoir dans cet appareil, mais je me relève d'une hépatite virale et je dois me reposer plusieurs fois par jour.

— Je vous en prie, balbutié-je, me retenant in extremis d'ajouter que tout le plaisir est pour moi.

V'là qu'une question secrète me lancine. A ce stade de convalo, dites, docteur, ça s'attrape encore l'hépatite virale ou s'il vaudrait mieux que j'attendasse un peu avant de proposer la botte à votre dame ? Mais trêve d'érotiqueries : boulot !

J'attaque :

— Alain Lambert m'a mis au courant de la situation et je me trouve chargé de l'enquête. Vous et votre époux êtes, avec le père d'Alice, les dernières personnes à avoir vu cette dernière, il est donc normal que je vous entende. Une première chose : avez-vous remarqué quelque chose d'anormal au cours de cette soirée au *Pasha Club* ?

— Nnnnon.

— Vous paraissez marquer une once d'hésitation.

— Non. D'ailleurs, qu'appelez-vous « anormal », monsieur le commissaire ?

— Mon Dieu, le mot est imprécis, j'en conviens, mais je tiens à lui garder son sens le plus vague. Par anormal, j'entends, auriez-vous noté un incident, même très banal, pendant que vous étiez en présence des Lambert ? Alice a-t-elle fait une réflexion susceptible de vous surprendre ? Auriez-vous aperçu une présence inhabituelle dans son entourage ? Avait-elle l'air inquiet, troublé ? Vous a-t-elle parlé de quelqu'un qui l'aurait préoccupée ?

Ils sont passés vous prendre ici et vous y ont ramenés, croyez-vous que vous ayez été suivis ?

Je me tais car elle vient de croiser les jambes, découvrant de belles cuisses à la peau piquetée de taches de son minuscules.

Tu crois qu'elle est rousse pour de bon, toi ? Je le lui demanderais volontiers, mais je ne voudrais pas qu'elle prenne ma question en mauvaise part. T'as des gerces avec lesquelles tu franc-parles à ta guise, sans que cela tire à conséquence, et d'autres, bêcheuses, qui se croient obligées d'indigner comme des perruches quand on leur arrache les plumes du fion. Le mieux, pour pas l'offusquer, serait que je vérifie de visu. Bon, je vais arranger ça, attends-moi ici.

— Non, fait-elle après mûre réflexion, je n'ai rien observé d'anormal et Alice ne m'a rien confié de particulier. Elle était joyeuse et intéressante comme à l'accoutumée, car c'est une fille passionnante ; pas du tout le style effarouchable, croyez-le bien.

Nouveau silence. La Portugaise à poils longs travaille dans une pièce voisine en chantant *Une maison portugaise,* air fameux internationalisé par le talent d'Amalia Rodriguez.

— Vous lui connaissiez des liaisons ?

— Ce n'était pas son style non plus. Elle devait aimer les hommes, mais brièvement. Alice attendait le grand amour en s'offrant quelques fredaines parfois.

— Par hygiène ?

Mon interlocutrice se rembrunit.

— Que voilà une vilaine expression, monsieur le commissaire. Amour et hygiène sont deux mots qui ne vont pas bien ensemble.

Au temps pour moi ! Je viens de béver (1). Femme délicate, romanesque peut-être ? Il faut que je change tout de suite mon Fusy Yama des pôles. Opération diversion ! *Schnell !* Moi, le génie, tu me connais ? *Never* pris au dépourvu, Albert. Ça me jaillit du foutre.

— Ne seriez-vous pas d'origine irlandaise, madame Marate ?

Elle écarquille ses vasistas tellement grands que son regard ça fait comme deux dahlias épanouis.

— En effet. Comment l'avez-vous deviné ?

— Donc, vous êtes réellement rousse. Quelle merveille ! Ah ! certes, l'instant n'est guère propice à ce genre de digression, mais cela fait dix minutes que la question me tourmentait. Je ne parvenais pas à me mobiliser sur mon propos pourtant si capital. Il faut dire que, malgré ma profession terre à terre, je suis également artiste, madame. Chez moi, l'action et le rêve font bon ménage. En vous admirant, je songeais : « Une telle carnation n'est pas de chez nous. Elle vient d'ailleurs : des verts pâturages où paissent des moutons à tête noire. Il y a du Connemara dans ce regard plein d'infini. Je devine des landes de bruyère sur ces lèvres fascinantes. » Ah ! madame, comme je regrette de me trouver dans cette chambre en qualité d'enquêteur !

Je rebrousse les poils du tapis de haute laine d'un soupir.

Elle, interdite, ne sachant plus si c'est du commissaire ou du cochon, me dévisage de toutes ses forces.

« Seigneur, me dis-je, mais qu'est-ce qui t'a pris, l'artiste ? T'es plus cap' d'assumer la promiscuité avec une belle rousse en robe de chambre ? Eh, dis,

_____

(1) Verbe du premier groupe signifiant « commettre une bévue ».

p'tit gars, faut me soigner ça en vitesse. Tu deviens dangereux dans ton genre, mon bonhomme ! Saute-aux-miches congénital. Ta pomme, la chaglaglatte t'électrise, te court-jute, te foudroie ! Et ton self, grand, hein ? T'en fais quoi de ton self ? »

Alors, bon, je m'engonce. Prends un air et des attitudes d'huissier venant opérer une saisie du mobilier ; biche un air rogue.

Faut voir la manière que je réintègre ma dignité, rentre au bercail des convenances ! Même les sadiques ont besoin de faire sérieux. Tout de suite qu'ils ont refermé leur braguette, après le viol de la petite fille, ils compassent vachement, se composent un personnage austère, réprobateur. Officiers dans l'ordre de la Légion d'honneur, moralement. Présidents de la Ligue du Culte ! Hypernotables.

— J'aimerais insister sur un point précis, madame Marate. Tout à l'heure, lorsque, d'entrée de conversation, je vous ai demandé si vous aviez remarqué quelque chose d'anormal au *Pasha Club,* vous m'avez répondu que non, mais après un léger temps de réflexion, et pas de manière catégorique. Vous ne m'avez pas dit « non », mais « nnnnon ». Cela vous ennuierait-il de rechercher dans vos souvenirs l'origine de ce manque de spontanéité ?

Son visage s'éclaire d'un sourire, comme on dit dans les vrais livres. Les visages « s'éclairent d'un sourire ». C'est beau, hein ?

— Vous êtes observateur, commissaire.

— Si je ne l'étais pas, je ferais un autre métier, madame.

J'attends, impénétrable, mais vachement pénétrateur de vocation.

Elle détourne les yeux.

— Il s'agit d'une observation tellement insignifiante qu'il serait stupide d'en faire état.

— Qu'en savez-vous ? riposté-je, le ton sévère.

— Au *Pasha Club,* non loin de notre table, se trouvait un dîneur solitaire. Il n'a pas cessé de regarder Alice au cours de la soirée. Il béait littéralement devant elle. Je sentais qu'il faisait des efforts pour ne plus s'occuper d'elle mais que, irrésistiblement, ses yeux la cherchaient.

— Eh bien ! voilà qui est plus intéressant que vous ne le pensez, madame Marate !

— Vous croyez ?

— A quoi ressemblait cet homme ?

Elle réprime un frisson (1).

— Un monstre (2) ! répond-elle sans barguigner.

— Vous me mettez l'eau à la bouche. Puis-je vous demander de m'en faire une description ?

— Un obèse ! Beaucoup plus de cent, voire de cent vingt kilos. Levantin, des cheveux épais et très noirs descendant bas sur le front. Un nez fort, comme épaté. Des sourcils fournis formant une seule barre sombre. La bouche lippue, les paupières bombées. Quand il mange, il le fait avec une telle voracité qu'il ressemble à un animal affamé. Des diamants plein les doigts, sa montre en est sertie. Une caricature du potentat arabe, jouisseur et despote. Ce bonhomme pue le pétrole. Il mangeait du caviar à la louche.

— Son âge ?

— Vous parvenez à donner un âge à une baleine, vous ?

— Vous dites qu'il semblait intéressé par Alice Lambert ?

(1) J'ai trouvé cette expression dans une chiée d'ouvrages très bien. Ça veut dire que l'intéressé a les foies, mais parvient à dominer sa trouille. Alors il « réprime un frisson », et après ça va mieux ! Essaie, tu verras.

(2) En anglais « monster »

— Fasciné serait plus juste.

— Il se trouvait encore au club quand vous êtes partis ?

— Oui, il buvait du whisky.

— Seul, dites-vous ?

— Tout seul.

— Au moment de votre départ, il n'a pas amorcé de mouvement pour vous suivre ?

— Non. Mais Dieu qu'il fixait cette pauvre Alice !

Je me lève.

— Merci de votre obligeance, chère madame. J'espère ne pas vous avoir trop perturbée ?

Elle se lève idem, s'approche de moi. Et voilà que j'ai le feu aux oreilles, et peut-être bien aux noix, du temps que je monte le thermostat d'ambiance.

On se regarde. Méditatifs, l'un et l'autre. Comme deux qui cherchent à se rappeler quelque chose ou qui se demandent où ils en sont. Ses lèvres ont un curieux petit retroussis : la supérieure (pas celle du couvent). C'est comme un appel de l'instinct en provenance du fond de l'espèce humaine.

Je me penche et l'embrasse sans porter mes mains sur elle. Il me revient une réplique de Gabin dans *Quai des Brumes*.

— T'es belle, tu sais ! j'articule.

Elle me bouffe la gueule en grand. Et c'est elle qui se cramponne à moi pendant que tout son corps se plaque au mien.

Moi, je vais te dire : c'est superbe, l'Irlande !

Et puis alors ce vertige, pardon ! Je courrais sur la rambarde de la tour Eiffel, au troisième étage, j'éprouverais pas plus intense. En deux coups les gros, mister Popaul est dégainé de son étui, drivé par les mains expertes de mon « témoin ». Hop ! par ici, la bonne soupe ! Je me l'intercale debout, héroïquement, contre la porte capitonnée du boudoir.

Dans les profondeurs de l'apparte, on entend la voix du docteur qui raccompagne un clille en l'assurant que son traitement devrait faire effet. J'ignore s'il le berlure ou pas. En tout cas, le mien fait effet à sa dame, je te fichtre foutre ! Si je te dis su-bli-me, qu'est-ce que tu réponds, Raymond ? Rien ? Eh ben t'as raison, parce qu'une troussée de cet envol, depuis la Rome Antique, plus romantique on n'avait pas vu !

Là-bas, à Chennevières, autour du berceau d'Apollon-Jules, on en est probablement aux desserts et je te parie un second coup de bite contre l'*Angélus* de Millet que Béru se lève déjà pour interpréter *Les Matelassiers,* a cappella.

BARREAUX SANS PRISON

Le domestique avait grande allure dans sa tenue immaculée à boutons et épaulettes d'or. C'était un garçon très sombre, à la chevelure calamistrée.

Il sourit à Alice en pénétrant dans la pièce, chargé d'un immense plateau de cuivre ouvragé qui supportait des victuailles délicates. Il le déposa sur une table basse.

— Comment vous appelez-vous ? lui demanda Alice.

Il la regarda sans comprendre et eut un sourire indécis. Visiblement, il ne parlait pas français.

Alice se leva et se dirigea vers la porte. Elle n'avait pas l'intention de quitter la pièce, simplement elle éprouvait quelque curiosité concernant le reste de la demeure. Elle aperçut un grand gaillard vêtu d'une gandoura blanche à parements verts, debout dans l'ouverture, jambes écartées, bras croisés, dans l'attitude d'un gardien de sérail pour film américain de l'époque Novarro. Cet homme « couvrait » le serviteur, prêt à intercepter une éventuelle tentative de fuite de la jeune fille.

Au lieu d'affoler Alice, cette constatation l'amusa. Elle était prisonnière dans un palais d'Orient. Cela ressemblait à un conte des *Mille et Une Nuits*.

Elle ne parvenait pas à dramatiser la situation.

Tout cela lui paraissait plaisant. Elle s'efforça de se rappeler l'enchaînement des faits qui l'avaient conduite là. Elle les évoquait de façon floue, sans parvenir à rétablir la notion temps. Tout cela avait eu lieu voici longtemps, dans une autre vie. Elle se voyait (ou bien s'imaginait) devant l'hôtel particulier familial, par une nuit grise qui sentait le mouillé. Elle attendait que son père eût remisé la Rolls dans le garage aménagé sous l'immeuble de pierres blondes. Une rampe fortement inclinée y conduisait. La porte était actionnée par un boîtier commandant le déclenchement d'une cellule photoélectrique.

Pendant que son père s'activait, une grosse bagnole noire avait surgi, en marche arrière, depuis l'extrémité de la rue. Alice n'avait pas eu peur tout de suite. C'est seulement quand le véhicule avait stoppé à sa hauteur et qu'un grand diable brun en avait jailli qu'elle s'était précipitée vers le garage. Mais un bras d'airain l'avait cueillie par le cou. On lui avait appliqué un tampon imbibé de chloroforme sur le visage et elle était aussitôt devenue d'une docilité stupéfiante. Elle continuait de penser, de marcher, mais toute peur l'abandonnait et elle suivait le grand diable sans lui opposer de résistance. Elle était montée à l'arrière de l'auto, l'homme à son côté. Au volant, une femme brune et silencieuse avec d'énormes boucles d'oreilles scintillantes.

L'homme avait ouvert une boîte de fer pour y prendre un second tampon humide. Elle se rappelait qu'il avait murmuré « *Sorry* » en le lui collant sous le nez. Dès lors, ç'avait été la grisaille. En cherchant bien, elle retrouvait une foule de sensations diverses. Voyage en voiture… Repos sur une couche voluptueuse. Elle percevait de la musique orientale… Et puis…

Et puis quoi d'autre ? Ah, oui… L'avion… De cela

elle était certaine. Elle se rappelait avoir marché sur un terrain battu par le vent. Il pleuvait. L'eau ruisselait le long de sa nuque. On l'avait aidée à gravir l'escalier rétractable de l'appareil : un jet de businessman, confortable comme la Rolls paternelle et qui sentait également le cuir fin. A nouveau elle avait dormi. Mais pouvait-on qualifier de sommeil cette torpeur suave dans laquelle on la plongeait artificiellement ?

Toujours est-il qu'elle se sentait infiniment bien : délivrée et heureuse. Délivrée de toutes les préoccupations quotidiennes, de toutes les arrière-pensées de la vie. Délivrée des petites peines qui, sans trêve, vous griffent l'âme. Pour la première fois elle existait « pour elle-même », uniquement.

Une seule crainte toutefois : cette félicité allait-elle durer encore longtemps ?

Après le départ du valet, Alice s'approcha du plateau. Elle y trouva des médaillons de langouste en gelée, du caviar avec des blinis, du foie gras, du saumon fumé. Un repas composé de hors-d'œuvre de luxe. Amusant, non ?

POUM !

On dit que le meilleur moment de l'amour c'est quand on monte l'escadrin ; mais « après » n'est pas mal non plus si tu as réussi ton affaire.

On reste là, debout, haletants, empêtrés, vidés de nos intimes secrets et pleins de nos sécrétions plus intimes encore, les tempes battantes, la chevelure trempée de sueur. Etourdis, éblouis, fiers de nous.

Quand on finit par se désunir c'est à cause de Maria, la bonne portugaise à poils longs qui frappe à la porte. Le rideau tombe sur notre final.

— Qu'est-ce que c'est ? demande Maryse (car tel est son prénom).

— Cé lé mosieur masseur dé la Madame ! annonce la valetonne.

— Je vais le recevoir.

On se contemple en souriant. Je lui roule la pelle de la reconnaissance infinie.

— Tu es comblante ! lui dis-je.

— Tu m'as comblée, rétroque-t-elle.

Elle ajoute :

— Tu as mon téléphone privé ?

— Pas encore.

Elle trottine à sa coiffeuse et prend dans un tiroir une petite carte bleue qu'elle glisse dans ma poche.

— Quand tu voudras, où tu voudras.

— Merci, je fais-je, ému.

Et bon, je vais me filer un petit ravalage express de la grosse bitoune, lui rendre l'éclat du neuf pour qu'elle redevienne opérationnelle.

Avant de m'extrader, je lui demande :

— Dis voir, ma Merveille, Alain Lambert, quel genre d'homme est-ce ?

Elle sourit.

— Un type bien : intelligent, efficace, homme du monde, homme d'affaires, bon père. Il n'a pour l'instant qu'un seul défaut : sa maîtresse.

— Belle Isabelle ?

— Ah ! tu es déjà au courant ?

— Ben : flic, non ? Que reproches-tu à la dame ?

— D'être tordue et de perturber la vie d'Alain.

— Tu es jalouse ? perspicacé-je.

Elle rougit.

— Pas le moins du monde ; Lambert n'est qu'une relation amicale.

Ment-elle ? Après tout, c'est son affaire. S'il fallait éclairer le passé des dames qu'on baise, on devrait acheter un groupe électrogène avec une tripotée de projos.

— Tu vas aller voir cette houri ? demande Mme Marate.

— Naturellement.

— Alors, c'est maintenant que je vais être jalouse.

— A cause ?

— Elle risque de t'intéresser car c'est un personnage et, tel que je crois te deviner, tu raffoles des personnages. Sois prudent.

Elle me drive jusqu'au hall. La soubrette court délourder et me voici reparti pour de nouvelles aventures, kif le Grand Meaulnes à la fin du *book*.

C'est « petite abeille », Antoine. Lesté de pollen. J'ai appris des choses intéressantes, j'en ai fait de merveilleuses. Une grande joie des sens me donne confiance en l'avenir.

Un peu de soleil essaie de dire son mot dans l'harmonie universelle. N'apercevant pas de bahut à l'horizon, je décide de m'armer de courage et d'aller prendre le métro.

Chez « Belle Isabelle », j'ai compté : la boutique mesure six mètres sur quatre. On y vend des toilettes d'avant-garde auxquelles tu ne commences à t'habituer qu'au bout de plusieurs mois, c'est-à-dire lorsqu'elles sont passées de mode. Chacune de ces guenilles vaut le prix du caviar et ça se bigorne pour les acheter comme s'il s'agissait de soldes avant travaux.

Une ravissante, mystérieuse et impressionnante créature est assise derrière un exquis bureau Mazarin, en train de lire *Vogue* (pas le bureau, la créature). Très blonde, sans doute grande, porteuse d'une de ses fripes, le maquillage dans les tonalités parme, le cou interminable, les cheveux coupés à la bagnarde, la belle donzelle ne passe pas inaperçue.

Elle manque peut-être un peu d'artillerie lourde sur le devant, il n'empêche qu'elle est autrement comestique que la Mère Denis et je comprends parfaitement qu'Alain Lambert en soit amoureux. Seulement, comme je viens juste de donner à la Croix-Rouge, c'est en toute sérénité glandulaire que je pénètre dans son estanco.

— Madame de Broutemiche ? je hasarde.

— En effet, monsieur le commissaire, répond la superbe en moulant son mensuel.

— Vous me connaissez ? éberlué-je.

— Non, mais Alain vient de m'annoncer votre visite. Comme en dehors du facteur et des livreurs, il est rarissime qu'un homme seul se risque dans ma boutique...

Elle rit féroce. C'est vrai qu'elle paraît un peu bizarre, cette chérie. Quelque chose d'inhumain m'incommode chez elle. Un éclat de déraison dans ses prunelles. Une sorte de vanité sauvage, d'orgueil interplanétaire. Pour elle, la base de sa philosophie, c'est « moi et Dieu ».

— Je pensais bien que la police commencerait par s'intéresser à moi, lorsqu'elle entrerait en action, poursuit l'incommodante personne. Vous pensez : la maîtresse du père dont on a kidnappé l'enfant, quel os à ronger, d'entrée de jeu ! Eh bien non, mon cher commissaire : je ne trempe pas dans cette histoire, bien que je l'aie pratiquement prévue et annoncée à Alain.

Cette affirmation insolite me fait sortir de mes gongs, voire même de mes gonds.

— Qu'entendez-vous par « l'avoir prévue » ?

— Le thème astral d'Alice. Son trigone autobloquant avait une connexion foirante avec Vénus dans une parabole de déviation par rapport à Mars, conclusion : « elle allait vivre un événement qui devait changer fondamentalement son destin ». Sa résidence lunaire allait s'impliquer dans le trémulseur endémique de Jupiter, mon cher. Dès lors, inexorablement, le grand chambardement devait s'accomplir. Tout cela je l'ai dit et seriné à Alain. Mais il est sceptique. Ne croit ni en Dieu ni au diable et encore moins à l'astrologie. Vous pensez : Capricorne ascendance Taureau !

Bien ce que je pensais : un tantisoi grivée, la de Broutemiche. Qu'est-ce que ça peut bien donner au pieu, une nière tellement ensuquée par ses giries astrales ? Pas grand-chose. Il trouve son fade comment, Lambert de nos Mignonnes Burnes quand il escalade ce brancard ? En moins de jouge, j'inverse les réacteurs de mon appréciation. En entrant et en matant sa géographie, j'ai cru que le papa d'Alice devait reluire comme un fou avec médéme. Mais il a suffi qu'elle me balance trois répliques pour que je pense pis que le contraire.

— Vous, vous êtes Cancer, n'est-ce pas, commissaire ?

— Effectivement.

— Ascendance ?

— Sagittaire.

— Votre date de naissance ?

— Je ne suis pas venu ici pour me faire tirer les cartes, madame.

Elle bondit.

— Non mais, vous n'allez pas m'assimiler à une cartomancienne, à une diseuse de bonne aventure ! L'astrologie est une science reconnue et qui...

— Si vous donnez une conférence sur le sujet, envoyez-moi un carton, je ferai l'impossible pour y assister. Mais, le temps presse, madame : une jeune fille a été enlevée et j'ai pour mission de la retrouver. Alors veuillez, je vous prie, répondre à mes questions de la façon la moins astrale possible.

Mon ton, mon expression, lui clouent le bec. Elle décide de me haïr silencieusement. Ses deux lance-flammes continuent de se promener sur mon visage photogénique. Elle est en train de me mijoter un horoscope pas piqueté des charançons, je prévois. Du gratiné, calamiteux de partout, avec des turbulences planétaires à en chier dans son froc. Bon, je laisse passer. Mon destin ne concerne que Dieu et moi. Nous nous en chargeons, Lui et ma pomme. On s'est déjà réparti le boulot : je crois en Lui et Il croit en moi. Ça s'appelle un *divine agreement*.

Très flic, j'entreprends l'interrogatoire de « Belle

Isabelle ». Ça donne un peu moins que pas grand-
chose. Ce qu'il ressort de l'entretien, c'est que les
proches de Lambert, à savoir sa fille et ses amis, ne
doivent pas vénérer la mère Broutemiche car, selon
ses déclarations, elle ne les fréquentait pas. Sa liaison
avec Alain se résume à quelques rendez-vous tendres
deux ou trois soirs par semaine. Je crois comprendre
que c'est l'industriel qui a financé l'achat de la
boutique de fripes. Au début, comme elle est vexée,
elle se montre réticente, mais la jacte vient en parlant
et la voilà qui repart bille en tête sur son dada.
Bientôt, elle m'interrompt pour m'annoncer que
Cancer ascendance Sagittaire, c'est pas mauvais,
mais qu'hélas je tombe pile dans je ne sais quelle
merderie constellaire qui va me faire baver des
bielles de locomotive avant longtemps. D'abord, faut
que je m'attende à partir en voyage imminemment.
Et ce sera pas une croisière d'agrément, elle me
prédit. Tant pis pour moi puisque je lui refuse ma
date et mon heure de naissance, elle aurait pu m'en
dire davantage et me fignoler un plan anti-scou-
moune pour me dépêtrer du mauvais sort, le rendre
plus supportable. Puisque j'obstine, je devrai me
débrouiller tout seul, faire face à l'adversité comme
je pourrai. Elle s'en lave les mains, les pieds, la
chatte, plus les yeux (à l'Optrex).

Lorsque je la quitte, j'ai une tronche grosse
comme la Maison de la Télé. Des gonzesses pareilles,
j'aimerais mieux m'embourber un bûcheron des
Vosges ou un patron pêcheur de Fécamp plutôt que
d'y risquer ma livre sans os. Si l'occase se présente,
faudra que je l'intervieve, Lambert. Au plan humain,
ça doit être enrichissant de piger son problème.

Le *Pasha Club* n'ouvrant ses lourdes qu'à partir de
21 heures, je décide de faire un break et d'aller

recoller au baptême d'Apollon-Jules, du moins à ce qui peut subsister encore de ses fastes. J'atteins le *Goujon de la Marne,* en fin d'après-midi. Un loufiat à la veste déboutonnée fait relâche devant l'établissement en fumant une cigarette.

— Le baptême Bérurier fonctionne encore ? lui demandé-je.

Il a une expression écœurée.

— Mouais, y a des restes.

J'avise la voiture des Béru sur le parking, cette rarissime traction avant quasi cinquantenaire, dont le pare-brise est en contre-plaqué, les portières absentes ou maintenues par du fil de fer et les banquettes remplacées par des caisses recouvertes de coussins avachis.

Je grimpe dans la salle « particulière » où s'est perpétré le festin. Trois bruits de nature différente agressent mes tympans avant que je ne l'atteigne : des cris de bébé, des ronflements de vieillard, et une chanson à boire dont les paroles sont inaudibles du fait de son interprète.

J'entre !

O désolation !

Seul Rossellini aurait pu « inventer » la scène qui s'offre à moi.

La longue et large table jonchée de bouteilles vides, avec sa nappe naguère blanche, rouge maintenant par le beaujolais renversé, graisseuse, froissée, brûlée par des cigarettes insurveillées. Au centre, parrain Pinaud roupille, la joue dans une portion de gâteau au chocolat dont un brusque sommeil l'a privé. Apollon-Jules rampe sur le plancher, ou plutôt s'y agite avec des mouvements primaires de crabe sur le dos. Il a saisi (comment ?) un moignon de boudin qu'il tète comme s'il s'agissait du colossal sein maternel.

Assis à califourcon sur une chaise, Béru écluse au goulot la fin d'un flacon de marc. Il est beurré à ne plus se voir les mains. Et c'est peut-être heureux car sa dame, penchée sur la table et cramponnée à ladite, se laisse embroquer d'importance par un plongeur maghrébin, lequel procède par à-coups profonds, déterminés, fiers et dominateurs. *Babel Oued Story !* Touche bien à mon pote ! C'est la Grande France, celle où ça « s'ajoute » comme dit si bien le cher Ivan Levaï dont je défends à Le Pen (à faire jouir) de porter la moindre atteinte !

Complètement imbibée également, la jeune maman finit par m'entrevoir à travers sa brume éthylique et me lance :

— V'vous rendez compte d'un culot, le service d'cette taule, Antoine ? Ça fait une heure qu'y se relayent dans mes miches, les uns les autres ! Des vrais mendigots : v'donnez l'petit doigt à l'un, l'restant viennent vous réclamer la moniche ! Sous prétesque qu'j'ai taillé une p'tite pipe en camarade au maît' d'hôtel qu'était plutôt avenant, les voilà qui font la queue.

Le Nordaf continue sa séance d'aérobic (si j'ose dire sans qu'on me traite tout de suite de sale raciste). Il plonge avec méthode et discernement. Berthy se laisse faire, en grande bonté d'âme, anesthésiée qu'elle est par la picole.

— Et les autres convives ? m'inquiété-je.

— Partis ! La mère Pinaud a eu une remontée d'glaires après la tétine aux oignons et on l'a embarquée dans un taxi. Au fromage, y a eu un coup de turlu pour les Mathias, comm' quoi les céréesses qui gardent leurs chiares déclaraient forfait, alors y sont filés. Après le repas, au moment du pousse-café,

« marraine », vot môman, est rentrée av'c Toinet. C'est Marie-Marie et son fiancé qui l'a remmenée chez eux. Nous aut' la Pine et le Gros, on est restés pour écluser le dernier. Mais j'voye qu'Apollon-Jules se traîne par terre, vous voulez-t-il bien l'rmett' dans son couffin du temps qu'Mohamed me finit ? Mercille beaucoup. Prenez quéqu'chose, Antoine. Commandez ce vous voudriez, aujourd'hui, c'est jour de fête. Si j'vous dirais que j'sus un peu pompette, moi que je bois jamais ou presque !

Elle essaie de tourner son mufle en arrière et demande :

— Ça vient, Mohamed, quoi ou merde ! J'vais couler une bielle, moi, à force qu'on me râpe l'intimisme. Déjà le chef qu'arrivait pas à prend' son *foot*, j'veux bien tout c'qu'on veut, mais faut pas abuser, mon grand ! D'autant qu'ça va êt' l'heure d'la tétée pour mon bébé...

— Ça va s'arranger, m'dame, promet le plongeur en plongée.

Et il passe la vitesse supérieure.

Je considère ce lieu, ces gens, cet instant exceptionnel. Je me demande si cette conjugaison ne fournit pas une image parfaitement composée de « l'honneur ».

Un loufiat qui est déjà passé par Berthe se pointe, en bras de chemise.

— Vous prenez quelque chose ? s'informe-t-il.

— Oui, décidé-je : une omelette au lard et un coup de beaujolais car j'ai fait ballon.

Le serveur fait la moue.

— Y a plus que le taulier en cuisine, je vais voir s'il veut se mettre au piano.

Un bruit de source, soudain. C'est Alexandre-Benoît qui urine sans quitter sa chaise ni défaire sa braguette.

— Ce qu'il est blindé, mon homme, s'extasie Berthaga. J'lu en ai vu ramasser des sévères, mais une aussi pareillement carabinée, j'me rappelle plus. Notez qu'il a des escuses, hein ? C't'enfant qu'on n'attendait plus, qu'on croilliait pas possible, et qu'est là, si beau, si ressemblant... Un cadeau du ciel, Antoine !

Elle se fout à chialer au moment précis où Moha-med se met à jouir, sobrement sans un cri, sans un soupir. Il reste un court instant immobile avant de prendre congé de son hôtesse, puis s'en dégage et s'essore la tête chercheuse avec la retombée de la nappe.

Mon omelette grésille. Je mange de bon appétit, en tentant de faire le point. Mes déplacements et visites récents me préoccupent. Cette fois, je suis entré dans l'affaire Lambert. Il y a presque toujours, au début d'une enquête, une période de flottement. On s'imprègne, tu comprends ? On renifle. Chaque affaire a une odeur, se peuple de gueules qu'on doit connaître. Il convient de la situer, géographique-ment, socialement, humainement.

Le plongeur comblé s'esbigne. Quelqu'un toque à la lourde, et c'est le beau-père du patron, un vieux veuf en retraite qui bricole au jardin « pour s'occu-per ». Il balbutie qu'il voudrait bien tremper un peu le biscuit, lui aussi. Ça fait huit ans qu'il macère dans la chasteté et, malgré ses soixante-quinze ans, elle lui monte un peu à la gorge. Madame voudrait-elle essayer de le démarrer un peu à la main ? Il est sûr de rien, mais il aimerait tenter l'expérience, juste pour vérifier où il en est.

Mais Berthy le refoule.

Elle a suffisamment donné commako, la Gra-vosse. Dis, faut qu'elle s'aère un peu les meules, merde ! D'autant que contre une table, mercille beaucoup ! Ça lui enraye la digestion. Elle a une barre au niveau de l'estom'. Et puis c'est le moment qu'elle donne le sein à son bambino vorace. Chacun son tour, non ? D'autant que messire l'ancêtre, si on doit l'entreprendre à la manivelle, on n'est pas encore sorti de l'auberge, c'est le cas d'y dire ! Elle regrette véry moche, mais ça sera pour une autre fois, quand Apollon-Jules fera sa première commusion ; si pépé se cramponne jusque-là, elle lui donnera priorité, juré !

Le départ est homérique. Le personnel accepte de transporter Béru jusqu'à ma calèche. Il va laisser sa traction à l'hôtel, n'étant plus en état de la piloter. Il carmera la note demain en venant la reprendre. Le patron est si content de nous voir partir qu'il accepte le principe. Pinaud suit le cortège en chancelant. Tous les deux ou trois pas, l'un de ses genoux cède et il se paie une génuflexion involontaire.

Je fourre tous ces résidus d'humanité sur le cuir de ma Quattroporte, poum ! Et bon, je vais driver l'équipe jusqu'à l'appartement des jeunes parents. Le hic c'est que Berthe a paumé son sac à main, et donc la clé de l'apparte. Alors on retourne au *Goujon « frivole » de la Marne* pour rechercher le réticule mais, manque de bol, la guinguette a fermé ses volets pour cause de demain dimanche. Alors, bon, comme on ne peut pas laisser un nouveau-né à la rue, je décide d'emmener les Bérurier et leur progéniture chez moi. Ils bivouaqueront dans la chambre d'amis.

Et puis qu'est-ce qui me prend, en cours de chemin faisant de vouloir passer au *Pasha Club* ? La conscience professionnelle, tu crois ?

Oui, je ne vois pas d'autres explicances.

Je me pointe dans la rue de l'établissement, gare

ma chignole à la je-m'en-branle à l'angle de deux rues.

J'explique à dame Berthe que je dois faire un saut au club, l'affaire de dix minutes, et qu'ils veuillent bien m'attendre, tous ces romanos.

Qu'ensuite je vais carillonner à la porte de l'établissement. Huis clouté, avec un judas comme un guichet de prison percé en son milieu et pourvu d'une grillette de fer forgé.

Au bout de peu, une gueule répond à mon appel.

— Vous désirez ?

— Entrer, réponds-je avec une grande précision.

— Vous avez la carte du club ?

— Non, mais peut-être que celle-ci fera l'affaire ? hypothèsé-je en plaçant ma brème poulardière devant le judas.

Magique : on m'ouvre !

Un beau gosse, saboulé pingouin, avec une denture éclairée au néon, m'accueille. A la fois sémillant et blasé. Baraqué sans que son *tailor* y mette trop du sien. Le genre de gusman qui doit chasser la douairière et lui faire sa joie de vivre sur traversin moyennant une montre Cartier ou une gourmette de chez Boucheron. Le club constituant un vivier à vieilles dragueuses, des mémères que le temps a dérouillées et qui raffolent se faire dérider la babasse par un petit champion du pic à glace.

— Très honoré, monsieur le commissaire, il y a un problème ?

Son ton tranquille m'assure déjà que s'il y en a un il est infondé, le *Pasha Club* étant une boîte sans peur et sans reproche.

— J'aimerais questionner le personnel du restaurant à propos d'un de vos clients.

— En ce cas, descendez l'escalier. En bas, vous demanderez Freddy, c'est le maître d'hôtel.

Je dévale un escadrin entièrement tendu de tapis avec deux rampes dorées et de savants éclairages en forme d'étoiles dans le plaftard. Un second esclave tout smok et tout sourire m'accueille au bas des marches. Celui du haut l'a déjà affranchi par le biniou intérieur car il m'envape avec zèle en me filant du « monsieur le commissaire » gros comme ma cuisse. Me voici installé à une table discrète, derrière des plantes vertes artificielles, mais tellement bien imitées que de vraies racines leur poussent.

— Accepteriez-vous un petit champagne-framboise, monsieur le commissaire ?

— Avec plaisir.

— Je vous envoie Freddy dans un instant.

Je retapisse la salle luxueuse, tout en glaces fumées, avec des sièges et un nappage dans les tons abricot.

Pas grand monde encore : une tablée de six personnes (trois couples) plus deux de deux. Les convives sont en tenue de soirée, à l'exception d'un homme qui s'est contenté d'un bleu croisé, mais on l'a accepté tout de même. Moi, je trouve que c'est une bonne chose de s'habiller *for the dinner* de temps à autre. Si on se fout tous en bloudgine ou en salopette pour aller au théâtre ou dans des dîners mondains, la France ressemblera vite à une affiche chinetoque célébrant la Longue Marche.

Le champagne-framboise est délicatement dosé et frappé. Au-delà du restau, s'ouvre la boîte de nuit, dans des demi-teintes orangées coupées de zones ténébreuses. Elle ne fonctionne pas encore, du fait de l'heure jeunette. Mais déjà, de la musique mouline à tout va ; ritournelle pour vieux crabes, *Stran-*

gers in the Night et sirop de trompé d'Eustache à lavement.

Un grand type blond, affable, s'approche de moi, s'incline à 45 degrés, se présente :

— Freddy, maître d'hôtel, vous souhaitez me parler, monsieur le commissaire ?

De l'allure, du parler bien ajusté : bref, un vrai pro.

— Pas à vous en particulier, mon bon, je lui retourne en souriant Colgate, mais il est probable que vous allez pouvoir éclairer ma lanterne.

J'aimerais bien qu'il s'asseye (ou qu'il s'assoie s'il trouve cette forme plus confortable) car c'est vachement torticolant de s'entretenir avec un grand type debout lorsqu'on est assis à vingt centimètres de lui ! Mais dis, t'imagines pas un serveur, même chef, installé à la table d'un clille en plein service !

— Vous connaissez Alain Lambert de Vilpreux, camarade ?

Bien que le mot camarade ne soit guère de mise en ce lieu doré et coûteux où l'on sert davantage de homard que de sardines à l'huile, le maître-autel répond sans perdre son sourire :

— C'est un habitué, oui.

— Il vient souvent au club ?

— Au moins une fois par semaine.

— Avec qui ?

— Tantôt avec sa fille, tantôt avec son amie.

Il ajoute :

— C'est un bon client, très gentil.

Donc, il arrose facile, le Lambert. Dans la limonade de luxe, pourliche *or not* pourliche, *that is the question*.

— Je crois savoir qu'il est venu ici avec sa fille et des amis, jeudi passé ?

Freddy n'a pas à gamberger long. Il acquiesce, me désigne une table.

— Si fait : ils ont soupé au 11.

— Maintenant, rappelez bien vos souvenirs, mon bon. Ce même jeudi soir, il y avait, non loin de leur table, un dîneur solitaire. Un gros homme du genre levantin qui bouffait du caviar comme moi de la choucroute.

Freddy n'hésite pas une broquette.

— M. Kazaldi, annonce-t-il.

— Ça consiste en quoi ?

— Propriétaire d'un groupe pétrolier ; il a du fric plus gros que lui, et ce n'est pas peu dire !

— Qu'en pensez-vous, Freddy ?

Et comme il rosit légèrement (tous les blonds sont comme ça), je m'empresse de le rassurer :

— Soyez sans inquiétude, ça restera entre nous. Mais il est important que j'aie votre opinion.

Le maître d'hôtel devient pensif.

— C'est un homme tranquille. Il lui arrive de venir avec des amis à lui, arabes également, et toujours des hommes ; pourtant, la plupart du temps, il est seul. Il aime la table et pardonnez-moi le terme, il s'empiffre. C'est un client également très large (là, il se marre) au propre comme au figuré. Malgré la loi coranique, il prend de l'alcool, en petite quantité toutefois.

— Après la bouffe, il va draguer dans la boîte ?

— Il n'en a jamais passé la porte. Je ne pense pas que les femmes l'intéressent. Les hommes non plus d'ailleurs, ajoute-t-il. Il fait un peu... comment appelle-t-on cela, pas eunuque mais...

— Castrat ?

— Voilà : castrat, c'est cela. Du reste, il possède

une voix de femme qui détonne dans cet énorme
corps.

— Vous le classeriez dans les méchants ou les
gentils, Freddy?

— Oh! les gentils, ça ne fait pas de doute; et
même parmi les gentils qui inspirent la pitié. Sa
solitude et sa boulimie ont quelque chose de pathétique.

— Au cours de la soirée, vous n'avez rien remarqué d'anormal à sa table, non plus qu'à la table des
Lambert?

Le grand blond avec deux chaussettes noires paraît
surpris par ma question. Il me regarde, puis contemple la salle comme pour chercher des ombres aux
tables qu'occupaient les gens que j'évoque.

— Franchement non, monsieur le commissaire.

— Pas le moindre incident à signaler?

— Aucun.

— Eh bien, je vous remercie. Vous m'avez l'air
d'un type très bien, Freddy.

— Merci de cette appréciation, monsieur le commissaire. Vous n'avez plus besoin de moi?

— Non.

Il s'incline à nouveau et s'en va.

Je bois une nouvelle gorgée de champ'. Tiens, mon
godet est naze. Comme je déteste me montrer chien,
je commande une autre coupe, pas me tailler comme
un malpropre. Qu'alors un brouhaha retentit dans
l'escadrin. Une voix forte et grumeleuse hurle :

— Si tu comptes que vous m'empêchez d'des-
cend', moi, mon fils et ma femme, 'spèce de morpion, tu t'goures! Un nouveau-né en nécessité,
qu'est plein d'merde jusqu'aux oreilles, j'voudrais
voir!

— Mais, monsieur, c'est un club privé! Vous

n'êtes pas habillé ! Et on ne reçoit pas les enfants, c'est impossible !

— Pas habillé, moi ! Non, mais on croye rêver ! Un costar sur mesure en prov'nance de chez « L'homme élégant Bastille ». Tire-toi d'mon chemin ou j't'émiette, crevard !

Un bruit sourd, un autre, à rebondissement et le beau Valentino en smok de l'entrée déboule dans la salle les quatre fers en l'air et le nœud pap' sur le sommet de la tronche (joyeuses Pâques !).

On s'empresse pour l'aider à se relever. Mais, souverain, écartant la valetaille, Sa Majesté Alexandre-Benoît Premier, père du prince Apollon-Jules, débouche dans cette salle huppée, chiffonné, congestionné, violacé, taché de partout.

Freddy court s'interposer. Le Mastar brandit sa carte de police en aboyant :

— Ta gueule, esclave ! Non-assistance à bébé en danger de merde, ça pourrait vous coûter chaud, à tous.

Il se tourne vers les marches.

— Viens, ma Berthy, viens, ma colombe, et laisse-moi pas tomber c'te petite fleur, surtout ! Tiens, va t'mett' à cette tab' là-bas, près de celle à Tonio. T'seras nickel pour langer l'bijou. Faudrait qu't'aurais dû prend' davantage d'couches, mais ces messieurs t'prêteront des serviett' de tab' pour remplacer. Allons, les mecs, grouillellez-vous ! Et pis apportez une bassine d'eau tiède qu'on dépommade c't'enfant Jésus.

Il s'avance vers les convives attablés, sidérés par une telle intrusion.

— Faites z'escuses, braves gens, mais quand ça urge, ça urge, n's'pas ? Continuez d'claper sans vous préoccuper, c's'ra l'affaire d'un instant bien qu' maâme Bérurier ici présente soye novice du fait

qu'c'est son premier bambino. Au quinzième elle
aura pris l'tour d'main.

Il éclate de rire, s'approche de moi.

— Toi, alors, c'est la vie d'château, mec. Môsieur
se nettoye les dents du fond au kir royal, du temps
qu'mon héritier glaglate dans sa tire! Faut êt'
décontracte, bravo! On voye qu't'es pas père. La
fibrane paternelle, tézigue, connais pas! Un jour, tu
comprendras. Garçon! Trois kirs royals, c'est baptême, j'arrose!

Ça conciliabule vachement dans les troupes du
Pasha Club. Ils téléphoneraient bien à Police-
Secours pour une évacuation rapide des squatters,
mais comme ceux-ci sont eux-mêmes de la Rousse,
ça les retient, les pauvres! Et puis le patron qu'est à
sa campagne pour le ouiquende, merde! Bon, ils
vont laisser passer la tornade; tant pis pour les
clilles. Tout le monde le sait qu'on vit une époque
difficile, pleine de risques et d'imprévus. Ce couple
folklorique et ce poussah braillard ne sont pas
tellement dangereux, bien que le père ait la bour-
rade facile!

Alors, soit : trois kirs! Plus la bassine et les
serviettes. Apollon-Jules ferme sa grand gueule,
biscotte la musique d'ambiance qui doit le calmer,
quelque part. Ils commencent à rire sous cape, les
loufiats. Moi, je file un gros talbin de deux cents
pions dans la paluchette à Freddy, manière de
calmer le jeu.

Trois mots pour expliquer : baptême, une nature
cet ancien ministre. Freddy enfouille, comprend.

— Monsieur le commissaire, vous m'avez parlé
d'incidents au cours de la soirée de jeudi. Ce que je
vais vous dire n'en constitue pas un, c'est un détail,
un simple détail...

— Vas-y : je suis preneur ; dans mon job, c'est avec les petits détails qu'on bâtit les grandes vérités.

Curieux comme ça leur revient en fin de parcours, aux uns et z'autres ! Pas dans la foulée. Ils doivent ruminer un moment avant de pouvoir dégorger.

— L'autre soir, M. Kazaldi a fait appeler son chauffeur.

— Ici ?

— Il l'a envoyé chercher : lui a dit quelques mots et le gars s'est retiré. Ça n'a duré qu'un instant. Vous voyez que c'est sans importance.

— Il est coutumier du fait ?

— Non, c'était la première fois.

— Dites-moi, Freddy, puisque le *Pasha* est un club privé, vous avez nécessairement la liste de ses membres avec leurs adresses ; je voudrais celle de M. Kazaldi.

LE NUAGE

Alice regardait le ciel à travers les motifs de fer forgé scellés devant la fenêtre. Elle vit un nuage rose, tout seul dans le bleu, pareil à ceux qu'on trouve sur les dessins d'enfants. Au bout d'un instant, elle eut la sensation délectable d'être étendue sur ce nuage et de flotter, loin au-dessus de la vie, dans des régions heureuses.

L'appartement qu'elle occupait était un nuage.

Un nuage rose.

TCHLAOFF !

Les garçons cérémonieux du *Pasha Club* sont très captivés par la leçon de puériculture que leur donne Berthe Bérurier. Ils font cercle autour de la table, admirant la dextérité de la jeune maman occupée à langer le chérubin.

Elle, très calme, maîtresse d'elle-même (et de qui le lui demande), assortit sa démonstration de commentaires :

— C'est un tour d'main à prendre, voiliez-vous. C'qui m'a beaucoup aidée c'est que, depuis lulure, mon espécialité enculinaire, c'est le pâté d'campagne enveloppé dans d'la crépine. V's'imaginez que l'cul du bébé, c'est l'pâté. Vous disposez l'lange d'la façon ci-jointe, en triangle d'manière que ça fasse trois angles comme dans certains triangles quand y sont bien triangulaires. Vous passez l'angle du milieu ent' les jambes, en l'aplatissant bien, pas lui pincer les roupettes, ensuite...

J'abandonne le cours pour aller prévenir maman qu'elle aura, cette nuit, trois pensionnaires.

A peine ai-je ma vieille chérie au fil qu'elle s'écrie :

— Le service des écoutes te cherche, Antoine. Tu dois le rappeler d'urgence.

La nouvelle me déconcerte quelque peu.

— Ça t'ennuierait que j'amène les Bérurier à la maison pour la nuit ? Ils ont perdu leurs clés et ne savent où aller dormir avec leur enfant Jésus.

Bien sûr, ma Féloche m'assure qu'elle est ravie. Conchita, notre servante ibérique, a justement préparé la chambre d'amis hier. Elle va aller récupérer au galetas la petite baignoire qui servit pour Toinet.

— Ne te décarcasse pas trop, ma poule, tu sais bien que l'hygiène n'est pas tête de liste chez les Bérurier.

Ayant dit, je raccroche pour appeler « les écoutes ». L'un des hommes de nuit m'annonce qu'il a quelque chose d'intéressant à me faire écouter à propos de l'affaire Lambert.

— Ça concerne une demande de rançon ? demandé-je.

— En effet, commissaire. Nous avons rappelé Lesgourde, notre technicien expert, il est en train de travailler sur la bande.

— J'arrive.

Et nous voilà repartis pour la Grande Taule, les *trois* Bérurier, Pinuche endormi et moi.

Chemin roulant, je leur propose d'aller réveiller un serrurier afin qu'ils puissent rentrer chez eux, mais ils déclinent. Non, non, ils m'attendront. Ils préfèrent venir pieuter à Saint-Cloud, ce sera plus joyce. Moi, j'enrage de n'avoir point pris mon sésame fameux qui eût solutionné le problème des clés. Mais ce matin, partant « en baptême » je ne pouvais me douter que j'en aurais besoin. Comme quoi, le flic d'aujourd'hui ne doit jamais se départir de son outillage, fiesta ou non. Même pour aller tirer une crampe à l'hôtel du *Morpion Farceur,* il a besoin de son matériel.

A la Grande Cabane, les écoutes se trouvent dans un local à part avec tout un bordel technique.

Quelques perdreaux, en bras de limouille, éclusent des boîtes de Kronenbourg en tapant le carton, car les attentes sont longuettes. Ils macèrent dans un nuage de fumée qui donne à leur local une ambiance de tripot américain. Au mur, le poster géant d'un photomontage représente la dame Thatcher en train de se faire enfiler en levrette par le chancelier Khol. Les deux protagonistes sont tournés vers l'objectif et lui font le signe de la victoire. C'est assez marrant, d'autant que les loloches de la Dame de Fer (en anglais : *the Iron Lady*) traînent par terre comme deux polochons mal rembourrés.

— Salut, les gars ! lance Bérurier, lequel a insisté pour me suivre, son précieux couffin à la main. Regardez un peu qu'j'vous montre les produits du plumard !

Il place son chargement sur la table. Réveillé et ébloui par la forte lumière, Apollon-Jules y va de sa bramante la plus soignée. Son organe fait vibrer les cadrans des appareils et nos collègues de la technique se plaquent les pognes sur les cages à miel.

— Mordez un peu, le bestiau ! exulte l'heureux papa. Il a qu'deux mois mais on lu donnerait huit ans. Quand t'est-ce on l'a amené à l'église, ce morninge, le curé a d'mandé si c'serait pour un baptême ou pour une première communion. Quel artilleur slave va donner, hein ?

Les copains contemplent le rejeton vociférant.

— Et quel charcutier ! assure l'un d'eux. Il gueulera plus fort que les cochons qu'il égorgera.

— Son père, c'était des messieurs rouquins, non ? suggère un perfide.

La boutade ne désoblige pas Béru.

— On lu a fait un texte sanglant, il est du même

group'ment que moi : A B positif, comme Rébus. A B, les initiales d'Alexandre-Benoît, c'est ben un' coïnciderie, non ?

— T'as raison, renchérit l'un des poulets, c'est une coïncidence, mais juste une coïncidence.

Tandis que ces gentlemen échangent des calembredaines, je passe dans le labo attenant où mon collègue Léonce Lesgourde « s'occupe » de la fameuse bande. Il est penché sur ses plateaux, règle des amplis, tripote des manomètres, le chef coiffé d'un casque aux plantureux écouteurs. Je passe ma main entre sa frite et son boulot afin d'attirer son attention et il relève la tronche.

— Oh ! c'est vous, commissaire.

— Tu me fais jouer ton concerto, Léonce ?

— Un instant.

Il bobine la bande, la lance.

Pourquoi une forte émotion me gagne-t-elle, tout à coup ? Parce qu'il va se passer quelque chose de capital ? Tout l'après-midi j'ai charrié au fond de l'âme la misère d'Alain Lambert. Pas un quart d'heure ne s'est écoulé sans que je l'imagine, recroquevillé près de son téléphone, à balancer entre la crainte et l'espoir ; vieillissant d'heure en heure, fou de détresse mais luttant pour conserver coûte que coûte son calme parce que c'est la seule chose qu'il puisse faire pour l'enfant volée : se maîtriser, être prêt.

Sonnerie du téléphone. A deux reprises ; la seconde ne va pas jusqu'au bout. On décroche. La voix fêlée, mais qui se veut forte de Lambert, annonce :

« — Alain Lambert, j'écoute. »

Il y a un silence. Peur du correspondant ? Manœuvre ultime ?

« — Allô ! » crie Lambert.

Un organe étrange se manifeste, rappelant celui d'un robot de télévision. C'est caverneux, mécanique, truqué :

« — Combien de temps vous faut-il pour réunir cinq millions de francs en coupures de cent ? »

Nouveau silence. Le temps que met Lambert à réaliser que c'est le fumier qui a kidnappé sa fille qui lui parle. Le temps d'enregistrer la somme. De faire le tour de ses possibilités. De...

« — Demain après-midi ! finit-il par répondre. Comment va-t-elle ? »

« — Elle ira bien si vous fermez votre gueule. On vous rappellera. »

Et tchlaoff ! on raccroche.

Lambert crie trois « Allô ! » qui vont decrescendo puis raccroche à son tour.

Lesgourde se mordille une peau morte près d'un ongle et la crache à deux mètres.

On se regarde.

— Tu étais à pied d'œuvre, Léonce, murmuré-je. As-tu déjà quelque chose à m'apprendre ?

Il hoche la tête.

— Trop court pour que les copains localisent l'appel. Cela dit, je crois pouvoir affirmer qu'il s'agit d'une femme.

— On ne le dirait pas.

— Elle déguisait sa voix et se servait d'un vibra-phone vocal, mais à l'ampli et avec le décomposeur Blochard, on perçoit des accents féminins dans les syllabes muettes.

— Bon, c'est toujours ça d'acquis.

Je prends un grand congé de mes collaborateurs après leur avoir recommandé d'ouvrir en très grand leurs baffles. Demain sera peut-être déterminant.

La journée du lendemain est marquée par un événement de la plus haute importation, comme dit Béru : son héritier est malade. Il vomit et se paye 40 de fièvre. Branle-bas de combat chez Félicie. On mande notre toubib qui se pointe dans les meilleurs des laids. Le praticien diagnostique une infection intestinale, probablement due au fait qu'Apollon-Jules a mangé hier des denrées peu faites pour les bébés de deux mois : boudin, friture de goujons, profiteroles.

C'est sa première maladie. Affolé, Alexandre-Benoît retrouve intacte la foi de son enfance et se met à réciter des *Je croise en Dieu,* des *Not' paires* à n'en plus finir pour obtenir du ciel le salut d'un rejeton sur lequel on ne comptait plus.

Cavalcade « au » pharmacien. Etant donné les circonstances et comme il n'est pas question de transbahuter le jeune malade, les Bérurier vont donc continuer de séjourner chez nous. Quelqu'un de plus dévoué que m'man, tu meurs.

Le calme étant revenu, je décide de rendre visite à Alain Lambert de Machinchose. Bérurier me demande de m'accompagner, histoire de se changer les idées. Je l'emporte donc dans mes fontes et quarante-cinq minutes plus tard, nous déboulons chez le pauvre père angoissé. Ce dégât ! Tu lui refilerais quatre-vingts berges, à l'élégant. Il a eu beau se raser et se saper rutilos, il est complètement brisé, cet homme.

Il me serre mollement la main.

— Vous avez du nouveau ? me demande-t-il.

— Pas encore, et vous ?

— Non, rien !

Ça y est : il me bite. Se gaffe de la Rousse. Il ne veut pas que nous pointions nos longs nez dans ses tractations, alors il a décidé de manœuvrer seul, sans comprendre qu'il n'est pas de force.

Curieux qu'il ne se doute pas qu'on l'a mis sur écoutes. C'est tellement élémentaire, mon cher Watson, une pareille mesure. Comment un homme civilisé, intelligent, très dans le vent, peut-il croire que nous le laissons seul, livré à lui-même ? Mais peut-être qu'il est conscient des précautions prises et qu'il veut éviter d'en parler pour garder sa liberté et nous laisser la nôtre ? Pas d'interférences dans le problème de la rançon. Il jouera le jeu, en conscience, et ce sera à nous de jouer le nôtre. Je pencherais plutôt pour cette version.

— Il paraît que vous avez rencontré mes amis ; tous mes amis, murmure-t-il.

— En effet.

— Et cela n'a rien donné, évidemment ?

— Pas vraiment.

— Pas vraiment laisserait croire que vous en avez dégagé néanmoins des choses positives ?

— Disons, simplement des impressions.

Bérurier que j'ai mis au courant de la situasse déclare qu'il aimerait parler au personnel.

— Mon chauffeur fait des courses, mais sa femme est à la cuisine, le renseigne Lambert.

Le Gros nous abandonne un instant. A peine a-t-il tourné les talons que le biniou tinte. Lambert pâlit et me regarde.

— Je vous en prie, fais-je innocemment.

Avec quelque embarras, il décroche.

— Alain Lambert, j'écoute.

Son terlocuteur terlocute. Ce qu'il bonnit paraît soulager mon « client » car celui-ci déclare d'un ton satisfait :

— C'est très aimable à vous, mon cher Durbard. Je saurai m'en souvenir. Eh bien, passez donc à quatorze heures pour... les formalités. Merci de tout cœur.

L'Antonio regarde par la fenêtre qui donne sur un jardin de faibles dimensions, savamment arborisé et entretenu avec soin. En son centre, il est un temple d'amour en fer tressé, après quoi grimpent des rosiers. Une table et des chaises meublent ce nid romantique. J'imagine Mlle Lambert, l'été, en train de lire dans cette cage idyllique.

En quelle cage plus sordide gît-elle présentement, si nous admettons qu'elle est toujours vivante ?

Bérurier tarde à revenir. Je le laisse agir, sachant que c'est un vrai poulet avec de bonnes initiatives qui, toujours, portent leurs fruits.

Lambert soupire :

— Je vais devenir fou.

Il a un tel accent de détresse que je pose ma main sur son épaule.

— Restez fort et gardez confiance : la situation va se décrisper.

Je suis sincère, car depuis qu'on lui a parlé rançon, j'ai repris espoir. Au début, je craignais que ce rapt ne soit pas lié à des questions de blé, et dès lors on pouvait tout craindre. Depuis qu'on lui a réclamé cinq cents briques, je me dis qu'on circule dans le conventionnel. Alice est devenue une denrée à vendre. Il va la racheter. S'il ne se produit pas de bavures, on peut envisager le *happy end* pour bientôt.

— Vous me permettez de lancer un coup de fil, monsieur Lambert ?

— Faites.

Avec une sublime impudence, je turlute au service des écoutes. Ils vont me trouver gonflé de les appeler sur la ligne même qu'ils surveillent.

— Commissaire San-Antonio ; j'aimerais savoir où vous en êtes ?

— On peut parler, commissaire ?

— Evidemment.

— Tôt ce matin, Lambert a appelé son banquier, un certain Durbard. Il lui a dit qu'il lui fallait de toute urgence cinq cents tuiles en liquide. Que le banquier devait vendre des titres, des obligations, au besoin lui consentir un prêt. Bien que Lambert n'ait pas fourni d'explications, l'autre a parfaitement pigé la destination de cet argent lorsqu'on lui a précisé qu'il fallait réunir la somme en billets de cent francs. Il est resté discret, malgré tout. A l'instant il vient de…

— Je sais. Merci. Je vous rappellerai plus tard.

Béru fait retour, mordant dans un sandwich au foie gras long comme un oléoduc (de Windsor).

— J'avais un' p'tite dent creuse, explique-t-il, et vot' cuistaude a bien voulu m'confectionner ce léger casse-graine.

Si tu savais ce que Lambert s'en fout ! Il n'a même pas entendu. On le moule pour aller vivre sa vie plus loin.

A peine sur le perron, le Gravos jubile :

— Formide, sa bonniche, pas fière pour deux thunes. A ses jeux, la police c'est magique. Elle s'est laissé miser su' la carante sans faire d'chichis malgré qu'elle portasse un' culotte d'honnête femme, à l'ancienne. J'y ai mis une monstre troussée. Couicli, biscotte les lend'mains d'java, j'ai les sens qu'emportent. C'matin, j'm'ai réveillé av'c un mandrin d'Sénégalais. A cause des inquiétudes d'not' enfant, j'ai pas osé m'met' à jour av'c la Grosse, mais j'pouvais pas m'trimbaler tout' la journée dans c't'état. Si j'aurais pas calcé la Yougo au Lambert, j'allais me faire éponger le trop-plein chez la mère Ripaton, à Courcelles.

— Voilà qui aura fait progresser l'enquête, ironisé-je.

— Bêche-moi pas, grand, ça m'a pas empêché d'questionner la femme tandis qu'j'la brossais galamment. C'est pas poli d'causer la bouche pleine, mais tu peux l'faire avec ta bitoune en va-et-vient ent' des miches amies. C'que j'ai appris, c'est que Lambert a pour maîtresse titrée une chieuse de force cinq, crème de bourrique complète, qui passe leur vie à lu faire des scènes et lui griffer un max d'osier. C'est d'la pétasse jamais contente, au plus qu'il lu refile des cadeaux et d'la fraîche, au plus qu'elle en veut. Ell' n's'entendait pas du tout av'c la petite sauterelle kidnappée.

— C'est tout ? ricané-je.

Le Master se fiche en renaud.

— Eh, dis, l'artiss, pousse pas. V'là une cuistaude qui m'rencarde su' la gerce à son singe, qui m'vide les burnes et m'confectionne un sandouiche au vrai foie gras, j'peux pas y demander, en suce, d'me faire une pension ou de m'adopter, merde !

Il rentre dans ma voiture, comme d'autres à la Trappe pour y faire retraite.

Un immeuble ultra-moderne dans le quartier de Grenelle, sur le front de Seine. Le hall est plus vaste que le Palais des Congrès, tout en marbre rose, avec des plantes exotiques dans des bacs de bronze. La loge du gardien serait une aubaine pour un cadre supérieur ou un P.-D.G. moyen. Il en sort une musique douce d'avion au moment de l'embarquement.

Je sonne à la double porte vitrée et une dame de belle allure, genre doctoresse ou avocate en renom, vient délourder. C'est la gardienne de l'immeuble (à ce niveau de standinge, y a plus de concierge).

— M. Kazaldi ? je m'enquis-je.

— Au douzième, mais il n'est pas chez lui : il est parti hier pour sa propriété de Marrakech.

Je déconviens un brin, n'en montre rien à cette personne de la haute, promue cerbère par dérogation spéciale, et demande :

— Il a du personnel à son appartement, je suppose ?

— Son valet de chambre, voui.

— En ce cas, je m'en contenterai.

— Vous parlez l'arabe ? s'inquiète mon électrocutrice avec du doute dans la voix et davantage encore dans le regard.

— Je sais dire *zob* et *barka,* oui, pourquoi ?

— Parce que le domestique ne parle pas un mot de français.

— Ça ne fait rien, j'ai le geste éloquent.

Et j'enquille l'ascenseur. La cage d'acier est si rapide qu'un violeur n'aurait pas le temps de sauter une douairière pendant le voyage, quand bien même il ferait de l'éjaculation précoce et qu'elle aurait le pot comme une entrée de métro. Le temps de se dire : je vais compter jusqu'à douze, et, dès le milieu de la phrase te voilà rendu comme du thon avarié.

Un appartement par étage, c'est de la toute belle crèche. Je sonne. Au bout d'un lapsus de temps infime, je devine un œil derrière le judas. Je regarde le bitougnet cyclope droit dans son reflet central et lui adresse un clin d'œil complice. Tu peux être certain que c'est magique. Le gusman qui t'observe n'a pas le temps de penser qu'il t'est impossible à toi de le voir. Il accepte le prodige, se croit regardé et t'ouvre.

Je me trouve face à un type pour film de James Bond (où d'ailleurs je crois bien l'avoir aperçu). Il mesure près de deux mètres, doit peser un quintal et demi, et a la boule rasée triple zéro, le teint gris, les paupières lourdes et une cicatrice d'un blanc immaculé qui serpente de son oreille au coin de sa bouche en faisant un détour par la jugulaire.

Je le salue gravement, d'un hochement de tête componctuel. D'instinct, je me mets à balancer en anglais.

— Puis-je m'entretenir avec vous un instant ?

Le gars murmure, dans la langue d'Elizabeth two :

— M. Kazaldi n'est pas là.

Ouf ! Je savais qu'il jactait le rosbif, ce tas de viande. Doit être saoudien, ou venir d'un émirat quelconque, à l'est d'Aden.

— Je sais, c'est pourquoi j'aimerais vous parler A VOUS.

— C'est de la part ?

Je lui montre ma brème.

— Police. J'appartiens au service des Etrangers et j'ai besoin de quelques renseignements.

Il s'efface pour me faire pénétrer dans un appartement immense comme le planétarium de New York, tout en vitres et en acier chromé, meublé mi-design, mi-oriental. Le salon, avec sa moquette verte, pourrait servir de terrain de foot si l'on en dégageait les sofas, poufs et autres tables basses pour les remplacer par des filets.

— Pour commencer, je vous serais reconnaissant de me montrer votre passeport, dis-je.

Le gorille (il est en training vert et blanc) quitte la pièce. J'éprouve un vague malaise dans cet univers si peu conforme au mien. Tout m'y est étranger : l'agencement, les odeurs, cette vie organisée à ras de terre... Dis-moi, Eloi, j'envoie pas le bouchon un peu loin en venant renifler chez ce richissime Arbi simplement parce qu'il a fortement louché sur la petite Alice le soir de sa disparition ? Si je me mets à enquêter sur tous les matous qui ont admiré cette ravissante fille, je vais me payer l'enquête du siècle !

L'esclave d'Aladin revient, non pas avec la lampe merveilleuse, mais avec un passeport verdâtre qu'il me présente sans un mot.

Bien sûr, il commence par la fin. Là-dessus, c'est écrit en double rubrique : arabe et anglais. Mon loustic se nomme Karim Harien, né et habitant « San'A », capitale du Yémen.

Le premier mec que je rencontre en provenance de San'A. Marrant, non ?

J'ai sorti mon calepin de flic et je note son état civil, avec une application de fonctionnaire minutieux. Quand c'est fait, je rends le document à King Kong.

— Vous séjournez en France depuis quand ?

— Deux mois.

— Permis de séjour ?

Il secoue négativement la tête :

— Je n'habite pas. J'accompagne mon maître.

— Vous ne l'accompagnez pas puisqu'il est à Marrakech et vous ici.

— Il va revenir.

— Quand ?

Il hausse les épaules.

— Mon maître ne dit pas.

Son maître ! Dis, ça reste vachetement médiéval, le Yémen.

— Il habite ici ?

— Non, c'est juste un pied-à-terre.

Je vois ! Et il doit avoir le même à Londres, à New York, au Caire et dans bien d'autres capitales.

— Il a des femmes, M. Kazaldi ?

— Non.

— Des amies ?

— Non.

— Il vit complètement seul ?

— Avec ses gens, oui.

« Mon maître », « ses gens » ! On folâtre en plein Moyen Age, je te dis !

L'homme attend, sans marquer d'impatience. Fataliste. Je peux le questionner jusqu'à la Saint-Trouduc (ton saint patron), il conservera ce même détachement soumis et répondra à toutes mes questions sans pour autant éclairer ma lanterne.

Je parcours des yeux ce luxueux appartement sans âme. Anonyme comme le salon d'attente d'un dispensaire. C'est quoi, la vie de M. Kazaldi, en dehors des affaires ? La bouffe ? S'il n'a pas de femmes c'est qu'il ne les aime pas, pourquoi alors fixait-il Alice Lambert au *Pasha Club* avec une acuité qui a attiré l'attention de Maryse Marate ?

— Comment s'appelle la résidence de votre maître à Marrakech ?

— « L'Orangeraie. »

Ignorant le français, il écorche le mot, le prononce avec un épouvantable accent. Je dois le lui faire répéter à plusieurs reprises pour le comprendre.

Et alors, un truc me biche, qui n'a rien à voir avec l'instant que je suis en train de vivre. Je me dis : « Qu'est devenu Pinaud ? » Comme ça, tout culment.

Il est tellement furtif, le débris, tellement peu, tellement moins que rien qu'on ne s'aperçoit pratiquement pas de sa présence et donc, a fortiori, de son absence. Hier, au cours de mes pérégrinations au *Pasha,* puis à la Rousse, il roupillait dans la guinde. Or, il ne s'y trouvait plus en arrivant chez moi à Saint-Cloud. Je suppose qu'il se sera réveillé pendant l'une de ses haltes et qu'il aura pris le chemin du bercail ?

Le gorille de San'A me considère d'un air impénétrable, mais je devine sa surprise. Je fais un drôle de fonctionnaire décidément. Je lui demande son passeport, lui pose deux questions sur son patron, pardon : sur son *maître,* et je pars à rêvasser comme si j'étais alangui sur du sable, au soleil.

— Très bien, merci. Ce sera tout.

Bon, pour lui, c'est comme je veux. Il se dit que ces Occidentaux sont en voie de disparition et que c'est une bonne chose car ils occupent de plus en plus mal l'espace vital qui leur est imparti. Une civilisation s'éteint, d'autres se développent ; ça ne changera jamais le volume du globe terrestre, ni sa vitesse de rotation.

— M. Kazaldi également est de San'A ? questionné-je, tout en me dirigeant vers la sortie.

— *Yes, sir.*

— Et il habite Marrakech ?

— Aussi.

— Il habite partout, n'est-ce pas ? Dans tous les endroits où il y a une place boursière et des bureaux d'import-export ; plus dans quelques autres où il fait beau, histoire de se remettre des premiers. Au fait, vous me permettez de téléphoner ?

Sans attendre son acquiescement, je m'approche d'un appareil ultra-sophistiqué posé sur une table basse à marqueterie d'ivoire. Une fois de plus, je compose le numéro des écoutes, me fais connaître. Le larbin ne comprenant pas le français, j'y vais franco :

— Je vais vous donner un numéro que vous allez foutre dans votre collimateur. Trouvez un collègue qui parle l'arabe, mais l'arabe d'Arabie ; vous avez quelqu'un sous la pogne ?

C'est Lesgourde qui me répond :

— Je ne vois que Mathias : il cause toutes les langues.

— Il est dans la taule ?

— Je l'ai croisé tout à l'heure.

— Fais-le radiner d'urgence car dès que j'aurai quitté l'endroit où je me trouve ça risque de tubophoner sec.

J'épelle le numéro inscrit sur le combiné.

— Vous permettez que j'en fasse un second ? demandé-je au gorille indifférent qui attend près de la porte, les bras croisés comme le génie d'Aladin attendant les ordres.

J'ai parlé en français. Il m'adresse un signe d'incompréhension. Je réitère en anglais et il hausse sobrement les épaules.

Il en a rien à cirer, le colosse, que je prenne l'appartement de son maîmaître pour un bureau de poste. Alors, je tube chez Pinuche. La vieillarde vermoulue me répond. Elle arrive de la messe, suprême effort qui a achevé de la démanteler ; c'est sa foi qui la porte. Bientôt elle devra, comme tant et tant de gens diminués, suivre l'office à la télé. Ayant dit, elle me demande des nouvelles de son vieux. Sais-je où il se trouve, cet inconscient qui, hier, l'a laissée rentrer seule du baptême, alors qu'elle souffrait mille morts ? Il n'a pas eu un geste pour l'accompagner. La beuverie, pour César, passant avant tout. Qui plus est, il a découché sans même la prévenir. Pas le moindre appel téléphonique de l'époux indigne. Un bouc aviné ! Et, par comble, ça ne répond pas non plus chez les Bérurier. Tout ce joli monde doit gésir sous une table, à cuver des boissons fermentées dans des flaques de déjections, elle devine. Ah ! commissaire ! commissaire ! Sa vie est un calvaire, Mme Pinaud. Malade et abandonnée. Elle se meurt stoïquement en priant pour la rémission des péchés qui la cernent.

Je lui prodigue des paroles de réconfort, de celles qui ne veulent rien dire, n'engagent personne, ne sont écoutées que d'une oreille distraite.

— Je vous rappellerai plus tard, ma chère vaillante amie, conclus-je.

Ouf !

Mais dis-moi, Benoît ? Et Pinaud ? Que lui est-il advenu ? *That is the question* que je pose au Gros, de retour à ma brouette. Lui aussi, ça l'interloque fort. C'est vrai, ça : la Pine a cessé de se trouver en notre compagnie hier soir et onc ne s'en est aperçu.

— Faudra que je vais demander à Berthy, dit-il. Car, selon d'après moi, c'est quand est-ce on a z'été au Service des écoutes qu'il s'est fait la valoche, l'ancêtre. Or, ma chère épouse s'trouvait av'c lui à nous attend'.

Tout en regagnant mon home, nous supputons et tombons d'accord sur l'hypothèse suivante : réveillé par un besoin pressant, Pinuche sera allé dans un bistrot où il aura, sa vessie une fois vidée, entrepris de la remplir. L'ivresse est une aventure. La sienne l'aura conduit en quelque lieu particulier où il se trouve encore, le vieux bougre.

Nous nous autorassurons et rallions la maison de Félicie où une fabuleuse blanquette de dévôt nous attend. Onctueuse, légèrement citronnée, fondante, admirable ; bref : réussie !

Mais, contre toute attente, B. B. n'est point là pour la déguster ; M'man nous explique que Mme Bérurier, chiffonnée par la journée d'hier, a décidé d'aller se faire faire un brochinge chez Alfred, leur ami coiffeur. Elle a frété un taxi après avoir confié Apollon-Jules à ma vieille. Et puis, quelques heures plus tard, elle a appelé de Pantruche afin de prendre des nouvelles de son lardon ; comme la fièvre était tombée, elle a déclaré à m'man qu'elle resterait à Paris et que Béru devrait se rapatrier avec le chiare en fin de journée.

Excellente mère, comme tu peux en juger. Le Gros la pardonne en faisant valoir que la maternité de sa merveilleuse a été longue (9 mois) et pénible, et qu'il est normal qu'elle prenne un peu de bon temps pour se changer les idées. Il est fréquent qu'après leurs couches, les jeunes mamans se paient une déprime. Berthe, consciente du danger, veille au grain et prend les mesures qui s'imposent. Et que nous notions bien à quel point l'héroïque épouse a le sens du devoir, dites : n'a-t-elle pas téléphoné pour prendre des nouvelles d'Apollon-Jules ? Qui l'y obligeait, somme toute, hmmm ? Et bien, « voiliez-vous », c'est ça, une maman !

Il chougnasse d'émotion et va faire un guiliguili au menton de son héritier, lequel ignore encore, ce petit plein de merde, quelle grâce du ciel c'est que de posséder de tels parents !

Les « écoutes » m'informent que Karim Harien, le valet du sieur Kazaldi, a appelé son maître vénéré au début de l'après-midi. On me lit la communication enregistrée et traduite par Mathias, le Savant.

« — Allô ? Ici Karim Harien !

« — Salut, tête de zob !

« — Ah ! c'est toi, Moktar, je veux parler au Maître.

« — Pas le moment de le faire chier, il est en plein dans les amours !

« — Tu pourras lui dire qu'un sale porc immonde de policier français est venu à l'appartement. Police des étrangers, il voulait voir mes papiers.

« — Et alors ?

« — Je lui ai montré mon passeport, il a pris des notes et me l'a rendu.

« — C'est tout ?

« — Il m'a aussi demandé si le Maître avait des femmes.

« — Tu lui as répondu quoi, tête de zob ?

« — Ben, qu'il n'en a pas.

(Ricanement de l'interlocuteur. Puis, le type demande :)

« — Le flic t'a dit qu'il repasserait ?

« — Non.

« — Rien d'autre ?

« — Il a téléphoné depuis l'appartement.

« — A qui ?

« — Je ne sais pas, je ne comprends pas le français. (Période de réflexion. Karim Harien finit par demander :)

« — Moktar ?

« — Quoi ?

« — Je croyais que tu avais raccroché.

« — Non. Ecoute, tête de zob, ne rappelle plus de l'appartement. Téléphone au Maître en fin de journée d'un bureau de poste.

« — Tu crois que... ?

« — Fais ce que je te dis, d'accord ?

« — D'accord.

« — Salut !

« — Salut ! »

Fin de la communication avec Marrakech. Je gamberge posément n'après quoi je dis à mes zèbres que je vais rester à mon domicile jusqu'à nouvel ordre et qu'ils m'y joignent s'il y a du nouveau.

L'instant est venu d'offrir un calva hors d'âge au Gros. M'man va relanger Apollon-Jules car elle prend son rôle de « marraine » au pied de la lettre.

L'HOMME ET SON RAMAGE

L'appartement d'Alice comportait un système de phonie délicatement incorporé dans des boiseries murales. Il diffusait de la musique orientale, aux accents nostalgiques. Une musique un peu « loukoum », se disait-elle. Mais cette diffusion n'était pas systématique. Elle intervenait pendant ses périodes de rêveries, comme pour les soutenir. Quand elle prenait ses repas, dormait, faisait sa toilette ou bien lisait l'un des nombreux ouvrages français garnissant les rayons d'une bibliothèque basse, la musique cessait aussitôt, d'où elle concluait que quelqu'un épiait ses faits et gestes et ne branchait la phonie qu'à bon escient.

Elle venait de prendre un bain et s'accoudait à la fenêtre pour admirer le somptueux jardin lorsque la musique retentit. Elle déclenchait comme par enchantement le pépiement des oiseaux peuplant la volière. Ils paraissaient la capter et ils y répondaient dans leur langage céleste. Soudain, la musique shunta et ne subsista plus qu'à l'état de fond sonore à peine marqué. Une voix prit le relais. Voix d'homme ? Un instant, Alice en douta, tant cet organe était doux, feutré, suave.

— Pardonnez-moi de troubler votre quiétude, mademoiselle Lambert, mais l'instant est venu de vous parler...

Oui, il s'agissait d'une voix d'homme avec un fort accent oriental. Les « r » roulaient sous la langue de façon caressante.

— Vous devez vous demander ce qui vous est arrivé. Eh bien, je vais vous le dire : je vous ai fait enlever. Pourquoi ? Parce que je vous ai trouvée si belle, si irrésistible que j'ai voulu vous avoir à moi. Rassurez-vous, mademoiselle, je ne suis pas un sadique ; simplement un homme en mal d'amour...

Alice ferma les yeux pour mieux s'offrir à cette voix caressante qui la chavirait. Elle se sentait troublée comme elle ne l'avait encore jamais été.

ZIM !

Béru regarde m'man langer son rejeton. Il est attendri.

— V'v'rendez-t-il compte que c'est un Bérurier ? nous demande-t-il, humide.

— Oui, répondons-nous, car le bébé possède indéniablement la morphologie de son cher papa : il est gras et musclé à la fois, massif, replet, obèse, bajouteux, affamé, assoiffé, gueulard, pétomane et parfois rieur.

— Chez nous aut', c'est signé, poursuit le Gravos. Mon père était comme ça, mon grand-père, mon arrerière-grand-père. Le même qu'on traverse les cercles, d'puis Vercinge et Torisque. On est un produit épiquement français. Qu'on pourrait nous fout' un' médaille originelle à la patte comme aux volailles de Bresse. Bérurier comme un chêne est un chêne, si je me fait-il bien comprend' ?

Il se fait.

Conscient d'être suivi, il repart :

— Quand t'est-ce il s'ra en âge, il rentrera dans la Rousse et quand j'lu aurai mis l'pied à l'étriqué, j'retournerai à Saint-Locdu-le-Vieux, moi et Berthe, reprendre la ferme que j'ai donnée en fermage. J'y apprendrerai à traire, Berthy. Elle saura vite, elle a des dons. Ell'm'aidera à faire les foins, et puis à

fumasser l'étable. Sauf l'respecte qu'j'vous dois,
maâme Félicie, j'la carambolerai su'les bottes
d'paille quand l'envie nous chopera. C'sera une vie
nickel, croiliez-moi. J'aurai mon cochon au saloir
ainsi qu'mes prop'-fromages. On irera à la messe
l'dimanche, vu qu'chez nous, ça se pratique encore.

Il rit d'aise.

— Lui, Apollon-Jules, j'le marirerai à une jeune
fille d'la bonne société, la fille d'un charcutier par
exemp', ou celle d'un boucher...

— Pourquoi l'as-tu prénommé Apollon-Jules?
demandé-je.

Il réfléchit pour fournir une réponse taillée dans la
pierre.

— Jules, biscotte c't'un prénom familial. On a des
chiées d'Jules Bérurier su'not' pierre tombale. Quant
à Apollon, c'est parce qu'il est né à la clinique du
Belvédère. C'est Pinuche qui m'l'a soufflé, faut
conviendre. C't'un homme qu'on dira c'qu'on vou-
dra, mais il possède l'instruction. Quand j'y ai
annoncé la naissance de bébé rose, y s'est écrié :
« C'est l'Apollon du Belvédère ! »

La sonnerie tubophonique l'interrompt. Je vais
décrocher. *It is* Berthe. Elle me gazouille qu'elle
pourrait-elle causer à son homme? Je le lui branche.
Et ça donne la moitié de dialogue ci-dessous :

— Popo? (diminutif naturel d'Apollon). Ben, il
est là, ma grande. Maâme Félicie finit d'le linger.

— ...

— Ben, je pense rentrer en fin d'journée, moui.

— ...

— Ah! bon. Moui, j'comprends. Tu peux pas
faire ça à Alfred. T'serais d'retour quand t'est-ce
que?

— ...

— Demain soir? Bon, ben j'm'arrangerai. C'te

noye, ça ira, j'lu ferai son bib'ron et j'mettrai un p'tit verre d'marc d'dans pour qu'y dormira ; c'est c'que f'sait toujours ma mère. Quant à c'qu'est d'demain, j'le confirerai à la concierge qui nous a à la chouette d'puis qu'j'y ai foutu la médaille du Mérite, du temps qu'j'étais miniss...

— ...

— D'acc, ma poule, fais-toi pas d'mouron. Une mère aussi inquiète qu'toi, j'ai jamais vu ! T'as pas t'mett' la rate au court-bouillon à cause d'c'garnement, quoi merde ! Allez, profite-z'en et fais mes amitiés à Alfred ; j'espère qu'vous décroch'rez la cymbale.

Il repose le combiné et annonce :

— Alfred participe à un concours d'haute coiffure, c'soir à Montbéliard. Il insiste pour qu'Berthe y serve d'modèle ; elle peut pas refuser ! Mais ça la mine à cause du chiare ; c't'une personne qu'est trop à cheval su'l'sens du d'voir ; soucieuse pareillement, ell'vivra pas son âge !

Félicie s'efforce de dissimuler son sentiment et invite le Gros à prolonger son séjour ici de vingt-quatre heures, de la sorte c'est elle qui assumera son filleul.

L'ancien ministre accepte, ravi.

Et c'est l'instant où enfin tout se déclenche. Le biniou de nouveau. Cette fois, c'est le service des écoutes. Lesgourde est surexcité comme mille poux dans la chaste culotte d'une chaisière en retraite.

— Du nouveau, commissaire ! Je vais essayer de vous passer l'enregistrement, j'espère que ce sera audible, sinon je vous le lirai.

— De quoi s'agit-il ?

— Oh ! oui, pardon : un appel à Alain Lambert. Vous y êtes ?

Apollon-Jules se met à bieurler. Je supplie m'man

4

de l'évacuer le plus loin possible du téléphone : du côté de Rambouillet, voire de Vladivostok.

J'écoute ardemment. Là-bas, ils ont placé la partie émettrice du combiné contre le haut-parleur de l'appareil enregistreur. Je perçois très distinctement la conversation.

Sonnerie. On décroche.

« — Ici Lambert, j'écoute.

« — Vous avez la somme ?

« — Je l'ai.

« — En ce cas, écoutez bien mes instructions. Allez au Prisunic des Champs-Elysées, vous y achèterez une mallette métallique actuellement en promotion au prix de douze francs, marque Gognin. Répétez ! (La voix quelque peu stupéfaite de Lambert reprend :)

« — Mallette métallique marque Gognin à douze francs au Prisunic Champs-Elysées.

« — C'est cela. Vous rentrerez chez vous et placerez l'argent dedans. Compris ?

« — Compris.

« — A huit heures du soir, vous déposerez la mallette dans le coffre de votre Rolls que vous ne fermerez pas à clé et vous vous mettrez au volant pour gagner l'autoroute Sud.

« — D'accord.

« — Vous roulerez en direction de Lyon jusqu'au premier restauroute que vous rencontrerez. C'est toujours clair ?

« — Très clair ; le premier restauroute que je rencontrerai.

« — Vous remiserez votre Rolls sur le parking, le plus à l'écart possible et vous irez prendre une consommation dans l'établissement. Vous devrez y séjourner une demi-heure au moins. O.K. ?

« — O.K.

« — Au bout d'une demi-heure, vous rentrerez chez vous.

« — Et ma fille ?

« — Si tout se passe bien, vous la récupérerez plus tard.

« — Mais je... »

La communication est coupée.

End.

— Vous avez tout entendu, monsieur le commissaire ? s'informe Lesgourde.

— Oui, tout, merci. Cependant je vais te demander de me repasser la bande afin que je prenne des notes.

Il est rare que je mette les pieds sur la table quand je me trouve à la maison. M'man est tellement soigneuse que j'ai l'impression de commettre un crime de lèse-propreté. Pourtant, dans le cas présent, l'intensité de ma réflexion est si forte que je m'oublie à le faire. Et me voilà donc, à demi allongé dans notre fauteuil Voltaire, mes talons sur le bord de la carante, les yeux partis dans l'infini de la pensée. Je ne perçois même plus les chialeries d'Apollon-Jules qui donne son récital à m'man dans la cuisine. Même un gros pet de Béru ne parvient pas à m'arracher. Je viens de lui relater le coup de turlu et lui aussi gamberge ferme. Nous sommes deux flics pensants.

Au bout de longtemps, Sa Majesté murmure :

— Sana !

Mais je reste dans le flou artistique. Surtout qu'il ne m'en arrache pas, ce goret. Je « tiens » quelque chose. C'est vague, à peine discernable, mais ça existe.

Mon silence l'indécise et il pète plus fort. A croire que le cannage de sa chaise vient d'éclater.

— Ne te gêne pas, murmuré-je, fais comme chez toi.

— Merci, qu'il répond en y allant de sa troisième salve.

— Etre ton slip ne constitue pas une place de tout repos, noté-je.

— Avec c'qu'il coltine dans la poche d'son tablier, y peut s'permett' de soupirer, rigole l'Infâme.

Un silence, puis il repart :

— Sana !

— Quoi ?

— Pourquoi qu'on lu fait coltiner la fraîche dans une valdingue achetée au Prisunic des Champs-Zé à ton Lambert ?

Tiens, on faisait donc pensées communes, lui et moi ?

— Tu le sais, toi ? interrogé-je.

— Je m'en gaffe, moui. Pas toi ?

— Si.

— Dis-y !

— Parce qu'il faut deux valises identiques dans l'affaire et qu'ainsi le rançonneur est sûr que Lambert aura la même que lui.

— Banco !

Je tends la main vers le téléphone. Obligeant, Son ex-Excellence dépose le poste sur mes genoux.

— Et pourquoi deux mêmes valtoches, mec ? insiste l'Hénorme.

— Parce que, quelque part dans la manipulation du blé, il y a une monstre astuce prévue.

Etant capable de mener deux actions à la fois, comme par exemple baiser une dame tout en préparant mon discours de réception à l'Académie, j'ai, tout en causant, composé le numéro du Vieux. Il serait temps de l'affranchir, le père noble. Sinon il va faire sa poussée d'urticaire. Tu connais les chefs ?

Leur devise c'est : « Rien foutre, mais tout savoir ».

Je le rancarde minutieusement sur toute l'histo-riette.

— Donc, on est en plein cœur de l'affaire ! exulte l'homme au crâne en coquille d'œuf assermentée.

— Apparemment, moui, monsieur le directeur.

— Pourquoi cette restriction adverbiale, San-Antonio ?

J'hésite.

— Je ne sens pas très bien cette demande de rançon.

— C'est-à-dire ?

— Mon instinct me dit qu'elle est en marge du rapt. Mais je pense que nous devons appliquer le dispositif normal en mettant des hommes en planque aux abords du parking où devra stationner Lam-bert et en constituant une chaîne de filature qui démarrera à compter de l'instant où il ira livrer la rançon.

— D'accord, faites !

Je m'installe avec un grand bloc et de quoi écrire afin de dresser mon plan de bataille. C'est scientifi-que, une opé de cette nature. Faut rien omettre, tout prévoir et choisir des compétences. Je déclenche mon action par téléphone, appelant brigade après bri-gade, la Criminelle, la Routière, qu'en fin de bigntz je tube à Mathias, l'irremplaçable, pour le charger d'une mission banale mais précise et il me faut un gars intelligent pour la conduire.

A la fin, je relis mes notes, reconsidère tout mon dispositif. Rien ne cloche.

Bérurier joue avec son cher bambin. Il lui fait « A dada sur mon bidet », écartelant le malheureux placé à califourchon sur son monstrueux genou. Le bébé se marre. Et le Gravos chantonne :

A dada sur mon bidet
Quand y trotte y fait des pets...

D'ordinaire, c'est avec la bouche qu'on produit les vents ponctuant la comptine, mais le preux pétomane ne saurait imiter avec ses lèvres ce qu'il produit si spontanément avec son anus.

Soudain, il interrompt la chevauchée fantastique de son petit monstre.

— Tu veux qu'j'vais t'dire, Tonio? C'kidnappeur, c't'un zozo!

— Pourquoi?

— Pas s'gaffer que Lambert est sur écoutes, faut z'êt amateur en plein, non? A moins qu'il ne susse pas que la Rousse est en piste?

J'obaise du chef (1).

— Je me suis déjà fait la réflexion, Alexandre-Benoît. Et j'ai fini par me dire que le demandeur de rançon n'en a rien à cirer que sa communication soit enregistrée et, qu'au contraire, ça l'arrange peut-être.

Bien avant vingt heures, nous voilà déjà en planque dans le quartier de Lambert. Après étude des lieux, nous sommes allés nous embusquer dans une impasse devant laquelle le jeu des sens uniques contraindra fatalement le père d'Alice à passer. J'ai troqué ma Maserati trop voyante contre une Renault 25 « équipée » qui me permet d'être en liaison avec tous les gars mobilisés.

A vingt plombes tapant, la vigie en faction près de l'hôtel particulier de l'homme d'affaires annonce :

(1) Il s'agit là d'une inattention de l'auteur qui voulait très probablement écrire « j'opine ».

Les Editeurs.

« Opération Cigogne. Le renard sort de son terrier. »

De quoi se tapoter le cul sur pain de glace pour essayer de produire de l'électricité. Tu sais l'à quel point les hommes sont mômes ? Flics ou militaires, faut qu'ils jouent aux cove-bois dans les circonstances les plus graves. Alors, ils codent, ils chiffrent, ils créent un langage de scout pour se donner des importances. Ça, toujours, leur principal objectif ! S'affirmer ! Impressionner ! Soi-même pour commencer, et puis les autres si possible. Y aller à l'épate. « Trognon de Chou appelle Pattemouille » « Je vous reçois cinq sur cinq, Trognon de Chou ! Affirmatif ! » « Ici Londres : les seize francs parlent aux seize francs ! La chemise de l'archiduchesse est-elle sèche, archisèche ? » « Le carré de l'hippopotamus est égal à la somme carrelée des deux pièces d'à côté. » « Passe-moi ton Pythagore, je te refilerai mon Archimède ! » Travestir fait plus sérieux. Pose un loup de velours noir sur la gueule des mots et ils se mettent à receler des secrets de Polichinelle !

Comment il disait, Coluche ? Enfoirés ? Il avait raison. Et la preuve c'est qu'ils sont presque unanimes à répondre présent ! Y a-t-il un enfoiré dans la salle ? Moi ! Moi ! Moi ! Moi ! Tous ! Ils se torgnolent tant tellement ils veulent être davantage enfoirés l'un que l'autre. Je suis cent fois mieux enfoiré que lui ! Regardez bien mon enfoirure à moi comme elle est conséquente ! Comme elle se voit de loin. Et comme elle est garantie irréversible ! Plus enfoiré que moi, vous trouverez jamais ! Ou alors vous risquez d'imploser.

Et bon, soit, dans l'Opé Cigogne, le renard est donc sorti de son terrier, ce qui veut tout connement dire que le pauvre Alain Lambert de J'm'en Torche, vient de larguer son domicile.

En effet, quatre minutes s'écoulent et sa Rolls passe devant l'impasse.

En route ! Je suis à distance, inutile de me faire retapisser puisque des voitures relais sont disposées tout au long du parcours.

On franchit Paris...

Autoroute du Sud...

Béru consomme un sandwich à la crème de saumon que Félicie nous a confectionné avant le départ.

Il dit, la bouche *full* :

— Moi, on me kidnappingerait Apollon-Jules, le monde ne serait pas assez grand pour que le ravisseur se planque.

Je songe mélancoliquement à un type que j'ai connu et qui pensait cela. Il lui était survenu un turbin façon Lambert. Avant, quand il lui arrivait d'envisager pareille éventualité, lui aussi se disait que le monde ne serait pas assez grand. Et puis la chose s'est produite et c'est lui qui s'est senti tout petit, tout minuscule dans le monde immense, dans la jungle infinie qu'est le monde.

Je capte les différents appels des voitures jalonnant le parcours :

— Attention, voiture 14, il va arriver au carrefour.

— Je le vois ! Relais assuré !

On roulingue dans du moite. La circulance se calme. Peu de temps avant le restauroute prévu, je mets toute la gomme, double Lambert et filoche jusqu'au but. Dans le parking, je choisis le coin le plus isolé pour stationner. Je descends seul, le Gravos s'étant, selon notre dispositif prévu, allongé sur son siège dont il a renversé le dossier. Muni d'un petit périscope, à infrarouge logé dans chacun des rétroviseurs latéraux, il va pouvoir surveiller les abords. Moi, tout plan-plan, je me dirige vers le restaurant et choisis une table à l'écart, derrière un grand bac contenant des plantes vertes en matière plastique très superbe.

Au bout d'un moment, Alain Lambert se pointe, sanglé dans un imperméable anglais à épaulettes. Il a l'air d'un vieux major écossais carbonisé par le whisky et les années de service. Il regarde sa montre, commande une conso et se met à attendre.

Je vais finir par bicher une arthrose de la nuque à force de me pencher sur son problème, à cet homme. Pourquoi ai-je la désespérante sensation de perdre mon temps ? Comme si, tous, victimes et policiers, nous étions les interprètes d'une comédie mal ficelée. Ça bat à mes tempes. Je me sens devenir mauvais. J'aigris. Tout à coup, je me lève et fonce à la table de Lambert.

Il blêmit en m'apercevant.

— Mais comment, vous...
— Oui, je ! Venez avec moi !
— Oh ! non, je vous en conjure, vous risquez de tout faire capoter.
— Je ne le pense pas, venez !

Je dépose un billet sur sa table pour douiller son scotch (c'était du whisky, sa conso) et l'entraîne dans la nuit où grommelle un vent mouillé qui a des sautes d'humeur et flanque des claques aux carrosseries des tires rangées sur le parking.

— Ecoutez, commissaire, si je ne vous ai rien dit...
— Pas la peine de vouloir m'expliquer, si je ne comprenais pas ça, je ne mériterais pas la superbe paire de couilles que je trimbale dans mon kangourou.
— Vous m'aviez mis sur table d'écoute ?
— J'espère que vous n'en doutiez pas ?
— Effectivement je...

Nous atteignons sa Rolls, remisée à vingt mètres de ma R 25.

— Ouvrez le coffre, monsieur Lambert.

Il déponne. Sur le revêtement de moquette beige se trouve une méchante valise métallique, guillochée, avec une poignée en matière plastique merdique.

— Maintenant, ouvrez cette mallette.

Lambert fait jouer le double fermoir quincaillesque et soulève le couvercle. L'abondante lumière du coffre nous découvre une pile de revues luxueuses sur papier couché.,

— Ça y est ! Ils sont passés ! exulte Lambert avec soulagement, heureux de s'être fait engourdir ses cinq cents bâtons.

Je le quitte pour aller à ma propre chignole où le Gros continue d'avaler de la boustifaille en guignant dans le périscope.

— T'as vu quelqu'un s'approcher de la Rolls, Gros ?

— Non, personne.

Je décroche l'appareil de phonie et hèle mes hommes dispersés dans les alentours.

— L'opération est terminée, regroupement autour de la Rolls, sur le parking.

Peu à peu, des silhouettes se dégagent de l'ombre, comme on écrit dans les romans à suspense qui racontent toujours la même histoire avec juste l'heure et les noms des personnages qui changent. Six gaillards sont bientôt là, attentifs, intrigués par mon initiative contraire à tout ce qui se fait dans des cas similaires.

— Messieurs, avez-vous vu quelqu'un s'approcher de cette Rolls-Royce à un moment quelconque, depuis qu'elle a quitté son garage ?

La réponse est unanimement : non.

— Mais alors, murmure Lambert, abasourdi, qu'est-ce que ça veut dire ?

— Mon cher monsieur, lui dis-je, rappelez-vous les écriteaux qu'on peut lire dans les devantures de certains commerces : « Ce que vous ne voyez pas dans la vitrine se trouve dans le magasin. »

Je laisse Béru piloter la tire de la Grande Crèche et voyage au côté de Lambert, dans son carrosse fouettant le cuir délicat et les parfums les plus distingués des maisons Dior, Guerlain et Olida.

Il m'avoue ne rien comprendre à ce micmac. Et moi, en termes mesurés, je lui explique mon fâcheux point de vue.

— Je crains fort, monsieur Lambert, que le ranconneur n'ait rien à voir avec le kidnappeur. Comme il arrive parfois dans ce genre d'affaires, un gredin opportuniste se greffe sur l'aventure, abjecte bouture plus criminelle peut-être que l'arbre du crime.

Je laisse un blanc pour lui permettre de me traiter de con, ou, au moins de le laisser me dire que mes métaphores sont belles comme du papier chiotte après usage. *L'abjecte bouture* devrait le faire sauter, mais son abattement est si grand, son désespoir si profond, son accablement si... (merde, voilà que je recommence !) qu'il ne prend même pas garde à mon délire littéraire. Je pourrais y aller plein gaz dans les comparaisons à changement de vitesse, roulement à billes incorporé, frein à tambour, fourche télescopique, ça ne lui ferait même pas froncer les sourcils.

Afin de couper court à ses questions, je me mets à lui en poser :

— A quelle heure êtes-vous allé acheter la mallette métallique au Prisunic Champs-Elysées ?

— Vers seize heures.

— Et après ?

— Je suis revenu chez moi.

— Et puis ?

— J'ai placé l'argent dans la valise.

— Quelqu'un se trouvait chez vous, en dehors du personnel ?

— Mon amie Isabelle et l'épouse du docteur Marate.

— Vous avez agi en leur présence ?

— Grand Dieu non, je n'ai soufflé mot à âme qui vive de la rançon. Je suis allé emplir la valise dans mon bureau.

— Et ensuite, où l'avez-vous mise en attendant vingt heures ?

— Je l'ai placée dans le tiroir du bas qui est plus vaste que les autres.

— Ces dames sont parties avant vous de votre domicile ?

— Oui, et en même temps, Isabelle a proposé à Maryse de la déposer chez elle car elle était venue me rendre visite en taxi.

— Quelle heure était-il ?

— Dix-neuf heures cinquante environ. Je venais de leur dire que j'allais devoir sortir, ayant rendez-vous au Quai des Orfèvres pour une conférence.

— Ces deux dames avaient-elles un bagage en arrivant chez vous ? Genre grand sac ou je ne sais quoi ?

Il freine un bon coup et me coule un regard anéanti.

— Si je comprends bien, vous les soupçonnez d'avoir échangé la valise de la rançon contre une autre ?

— Mon métier consiste à être objectif, monsieur Lambert. Quatre personnes seulement ont pu procéder à cette substitution : mesdames de Broutemiche et Marate, plus le couple de domestiques.

Il a carrément stoppé son carrosse en double file, indifférent aux coups de klaxon rageurs qui foncent sur nous.

— Mais aucune de ces quatre personnes ne savait que je m'apprêtais à payer une rançon.

— Si, monsieur Lambert : celle qui vous l'a réclamée.

La réalité, l'hideuse, l'épouvantable réalité le frappe à toute volée, comme disait une cloche de mes amies. Le pauvre homme mesure soudain que cette arnaque n'a rien de commun avec le rapt de sa grande fille. On a profité du kidnapping pour le baiser de première. Donc, le sort d'Alice n'est toujours pas réglé. Il s'effondre en sanglotant sur son volant. A deux mètres de lui, sur le capot, la fameuse statuette Rolls fait de l'épate à la proue du navire. Et moi, populiste comme pas deux, je me dis qu'il vaut mieux être relaxe au volant d'une 2 chevaux-poubelle que malheureux à dégueuler sa vie à celui d'une tire de reine. J'ai pas raison, Léon ? Nous autres qui ne sommes pas des philosophes, n'ayant pas les moyens intellectuels suffisants, ce qui nous sauve c'est notre bon sens. Le bon sens c'est ce qui vous permet d'être écouté quand vous êtes trop con pour être intelligent.

Sa peine le secoue comme le vent de la toundra... Oh ! puis classe ! Je vais pas encore te tarabiscoter des comparaisons à la graisse de cheval de bois. Il pleure fort, un grand coup. Ça craque, tu comprends ? Il est là, planté au milieu du monde, sans son enfant, avec des gredins familiers qui le dépècent dans le brouillard de son chagrin (t'as beau dire, mais « dépecer dans le brouillard du chagrin », merde, c'est pas à la portée du premier plumitif venu !).

Je cherche à lui porter assistance, moi, tu comprends ? Sa misère me délabre le mental.

— Allons, Lambert, je suis là, gardez confiance.

Il se redresse, essuie ses pleurs avec sa pochette de soie, ce qui ne vaut pas un bon mouchoir de coton, crois-z'en mon expérience.

— Pour tout vous dire, je n'ai pas cru à cette péripétie de la rançon. J'ai une autre idée de derrière la tête...

— Laquelle ?

— Je vous en parlerai plus tard, pour l'instant réglons cette triste question d'argent. Vous n'avez pas répondu à ma question : l'une de vos deux amies avait-elle un grand sac ?

Il s'efforce de réfléchir et finit par soupirer :

— Toutes les deux.

Le Gravos m'attend chez Lambert en clapant une aile de poulet prolongée de sa cuisse et de ses deux filets. Il mastique avec la gloutonnerie d'un dogue allemand affamé. Tania, la cuisinière le regarde dévorer, non sans admiration. Son vieux est à la téloche. Béru me raconte, dans un regard, qu'il vient de filer un petit coup de tringle express à l'ancillaire, sur une chaise ; comme preuve il me désigne cette dernière d'un hochement de menton et je peux constater que le malheureux siège est devenu trijambiste depuis l'exploit du Conquérant.

Avec le Gros, la vie est toujours simple et tranquille comme dans du Verlaine. Quand tu veux remettre ta pendule à l'heure, une seule adresse : celle de mister Alexandre-Benoît. A son contact, les cœurs en arythmie se calment, les pensées brûlantes se refroidissent, les projets le plus funestes partent en couille et l'existence reprend le poêle de l'ablette.

— Ecoutez, monsieur Lambert, attaqué-je.

— Appelez-moi Alain, murmure-t-il, il me semble que ça m'aiderait...

Un tendre, cet homme d'affaires. Je le biche par le

cou et allant au-delà de son souhait, me mets à le tutoyer, comme s'il était devenu un ami d'enfance.

— Ecoute, Alain, Tania va t'accommoder un petit frichti tardif que tu te forceras de manger en vidant une bouteille de bon bordeaux. D'ici une paire d'heures nous serons de retour, le gros Béru et moi, et on abordera la seconde partie de ton problème. Ça joue ?

Il acquiesce et m'offre même un pauvre sourire d'hépatique en pleine crise.

— Faites c'qu'y vous cause ! renchérit le Mammouth. Simp'ment je conseille qu'vous montassiez trois boutanches d'la cave au lieu d'une, pour quand qu'on va reviendre. On va l'retrouver vot' moustique de fille, Lambert. Avec nous deux, moi et Sana, vous savez à qui est-ce vous avez affaire, n'est-ce pas ? Matière d'police, c'est l'top. On est la Rolle-Rosse de la flicaille, moi et lui. D'mémoire d'homme, s'y faudrait qu'on vous cite un échec dans not' carrière, on s'rait obligé d'inventer ; je ments-je-t-il, Sana ?

En parfait altruiste, il continue de remonter le moral du pauvre papa.

Pendant qu'il débloque tout terrain, je passe un coup de turlu à Mathias.

Instructif !

La Belle Isabelle crèche dans un immeuble neuf de la Porte Maillot. Je dois carillonner longuement avant qu'on délourde, et c'est un vieux crabe, ridé comme la Beauce avant les semailles, qui se tient devant nous, l'air pas gentil dans sa robe de chambre de velours pourpre taillée à même un vieux rideau de théâtre. Il a les cheveux très longs, teints en noir de jais, qui pendent sur ses épaules. Ses sourcils entièrement blancs détonnent vachement de même que sa mal-rasure couleur sel et poivre blanc.

— Ma femme n'est pas là ? il nous demande sèchement, comme si nous étions, nous visiteurs, en mesure de répondre à cette interrogation saugrenue.

— Si c'est de Mme de Broutemiche que vous parlez, c'est exactement la question que je m'apprêtais à vous poser, rétroqué-je (1).

— Qui êtes-vous ?

— Police.

Il a le pif large du bas, en forme d'éteignoir, et puis des yeux enfoncés. Il est simiesque sur le bord, le bonhomme. Au fait, j'ignorais que la Belle Isabelle fût marida. Lambert n'a pas mentionné la chose. Note que, pour un époux, il fait chiement cinquième roue, ce mec. Pas même prince consort. Lui, c'est carrément le vieil ustensile délabré qu'on a filé au rancart une fois pour toutes.

Une langue blanche tente, en vain, d'humecter des lèvres qui le sont également. Ses yeux de vieille guenon fourbue ont un éclair de contentement.

— Police ! il répète. Police ! Grands dieux, se pourrait-il que cette salope ait des ennuis ? Entrez, mes bons messieurs, entrez vite me régaler de cela. Vous tombez à point : je m'ennuyais.

Il nous guide à travers l'appartement au classicisme désopilant, nous le fait traverser de part en part et pousse une porte plus étroite que les autres.

— Je vous reçois chez moi, dit-il, nous y serons plus tranquilles, et puis ma sale bougresse ne tolère pas que j'use de son salon.

Son « chez lui » est un antre noir, ancienne resserre ne prenant la lumière que par un étroit fenestron. Elle comprend un lit de camp, une table de bois

(1) Car je préfère rétroquer que rétorquer, mais ça n'engage que moi.

SAN-A.

blanc, une chaise, une garde-robe démontable, en toile cirée, que clôt une longue fermeture Eclair. Des rayonnages surchargés de livres. Un poste de télé posé sur le plancher. Un transistor japonais et une pile de cartons occupent un quart du local. Celui du dessus est ouvert, défoncé plus exactement, et il en sort des faire-part de deuil.

— Asseyez-vous sur mon lit, conseille M. de Broutemiche après s'être octroyé l'unique chaise, et narrez-moi ce qui vous amène ; il faut que ce soit bien grave pour que vous arriviez chez les gens à dix heures du soir !

Il se renfrogne.

— Ne venez pas me dire surtout, qu'il s'agit d'une visite d'amitié et que c'est ma pétasse de femme qui vous a fixé rendez-vous !

— Non, fais-je, rassurez-vous.

L'étrange bonhomme m'intéresse et je sens qu'il va enrichir ma collection de hurluberlus, ces enfants chéris de mes rencontres. Car l'existence grise, peuplée de cons gris, laisse parfois échapper une perle. Il t'arrive de rencontrer un *personnage,* c'est-à-dire un marginal excessif ou bien haut en couleur qui tranche sur la morosité désespérante.

— Je crois comprendre que vous menez des existences relativement séparées, votre épouse et vous-même ?

— Relativement ! Pourquoi relativement ? Parce que nous habitons le même appartement ? Mais, mon cher policier, nous n'avons plus en commun que notre adresse et notre haine. Il y a belle lurette que c'est archifini, Isa et moi.

— Et vous continuez de cohabiter ?

— Il le faut bien : je n'ai rien et elle a tout. Certes, mon train de vie est modeste, pourtant il me faut l'assumer. Malade et sans ressources, comment existerais-je ?

— Ça ne doit pas être réjouissant, dis-je.

— Ma haine me fortifie, répète M. de Broutemiche. C'est donnant, donnant, dans notre cas. Elle m'entretient et je lui permets de demeurer baronne. Un divorce la rendrait à sa condition de Martinet, car tel est son patronyme de naissance. Martinet, comme le copain de l'hirondelle ou le fouet du garnement ; cocasse, non ?

Je m'approche, mine de rien, des cartons contenant les faire-part de deuil, louche sur celui du dessus et je lis :

Le *Baron Wilfrid de Broutemiche*
a la douleur de vous faire part de la perte cruelle
qu'il vient de subir en la personne de son épouse
la Baronne de Broutemiche
née Héloïse Lanouvelle
décédée tragiquement à la suite
de l'inconséquence d'un chauffard
nommé *Alfred Rondibet*
le 6 mars 1972 en sa trente-huitième année.
Les funérailles ont eu lieu le 9 mars
à Tatezy-Meleu (Yonne),
berceau de la famille, dans la plus stricte intimité.
Priez pour elle

Mon hôte a suivi mon indiscrétion, sans se formaliser.

— C'était une sainte, déclare-t-il quand il constate que ma lecture est achevée.

Il a des larmes plein la gueule, ne songe à les torchonner.

— Chaque jour, je prie pour le repos de sa grande âme, nous assure-t-il.

Il ajoute :

— Etre tombé sur une pute-garce-cancrelate, après une telle femme ! Quelle sombre dérision ! Quelle déchéance !

Je désigne les cartons.

— Tous ces paquets contiennent des faire-part, monsieur de Broutemiche ?

— Oui, j'en ai fait imprimer quinze mille et il m'en reste encore de quoi voir venir pendant une trentaine d'années. Comme j'ai soixante-huit ans, je peux pousser l'optimisme au plus loin.

Paroles sibyllines.

C'est Béru qui, le premier, ose manifester notre incompréhension :

— Qu'est-ce z'entendez par voir venir pendant une trentaine d'années ?

Le baron respire large, referme les pans de sa robe de chambre de roi mage à la débine sur son académie maigriotte et consent à nous affranchir :

— Héloïse a été tuée par un chauffard ivrogne : ce Rondibet Alfred, comme se présentent les minables. Vous savez ce qu'il a eu comme peine ? Trois mois de prison avec sursis et une année de retrait de permis de conduire ! C'est faire bon marché de la peau des baronnes, n'est-ce pas ? Il a bien fallu que je trouve une vengeance.

— Laquelle est-ce-t-elle, baron ? questionne Alexandre-Benoît, qui redevient rapidement serf au contact des titres.

— Chaque jour, je fais parvenir un faire-part de deuil à l'assassin, pour qu'au moins il garde le souvenir de sa victime. Je lui adresse le faire-part sous les formes les plus diverses : en recommandé, par express, par pneumatique, ou bien je le lui fais remettre en main propre. Ce dégueulasse est tripier : j'en fais parfois apposer sur la devanture de son

effroyable boutique. Si vous saviez mon ingéniosité !
Il lui en a été posté de Venise, du Honduras, du
Japon ! Il en a trouvé dans des boîtes de chocolats !
Ses gamins lui en ramènent de l'école ! Les garçons
de café lui en donnent au moment où il prend son
Ricard en compagnie de ses ignobles amis. J'espère
qu'il finira par craquer. Qui sait ? Peut-être se
suicidera-t-il ? Quoique cette engeance n'ait aucun
sens de l'honneur. Enfin, même s'il endure cela
jusqu'à ma mort, cette mission sacrée m'aura aidé à
vivre. Une existence sans but est une existence
invertébrée. Notez que c'est mobilisateur, une telle
ténacité. Sans compter que je n'ai pas que cela : il
faut aussi que je m'occupe d'Isabelle.

« Belle Isabelle ! Tu parles ! Elle peut plastronner
avec ses vergetures et ses culottes de cheval. Vous
regarderez son cul lorsqu'elle rentrera, messieurs.
Attentivement. Et vous me direz comment elle
trouve tant d'amateurs pour le fourrer ! Je sais que
pour moi, excusez, mais c'est la gerbe. Ça m'a pris un
soir, il y a quatre ou cinq ans. Jusqu'alors je me
comportais assez brillamment au lit. Je n'aime pas
me vanter, mais franchement, deux coups successifs
ne me faisaient pas peur. A soixante piges ! Chapeau,
non ? Ce qui m'a toujours mis en train, si je puis dire,
c'est la minette. L'âme de l'amour. Un cul bien
bouffé est un cul à moitié baisé ; telle était la devise
de Godfroy de Broutemiche, mon regretté père, que
Dieu ait en miséricorde. Donc, un soir... Mais je
vous ennuie peut-être ? » s'interrompt-il.

Nous le détrompons. Il est passionnant, ce mec.
Qu'il dise ! Qu'il dise !

Alors, comme il ne demande que ça, toujours à
morfondre dans ses regrets, ses haines et ses silences,
il repique des deux.

— Un soir, je m'apprêtais à déguster Isabelle.

J'avais aménagé une lumière ocrée du meilleur effet.
Les amoureux, comme les restaurateurs, négligent
trop souvent l'éclairage. Et pourtant c'est si capital !
Me voilà donc au travail. Elle raffolait de la chose, la
bougresse ! Une clitoridienne, je vous le dis sans
tergiverser. Moi, je tenais solidement ses fesses,
comme on tient son grand bol de lait à deux mains
pour en boire le contenu. Et soudain, sous mes
doigts, je sens du grenu, du pas sympa. Cela formait
de minuscules vagues. « Mais, me dis-je en aparté, tu
es en train de bouffer un cul fané, Wilfrid ! »
Instantanément mon appétit vole en éclats, ma
virilité se fait flasque, mon désir se change en
répulsion. Je quitte le festin en disant : « Madame,
j'ai le regret de vous informer que vos fesses ne
remplissent plus les conditions requises pour assurer
mon érection. Le port de vos gaines a peut-être hâté
la mutilation du temps, je ne chipoterai pas sur ce
point ; il n'en reste pas moins que vous ne m'inspirez
plus, allez vous faire mettre ailleurs ! »

— Un peu tranchant ! reproché-je.

— Elle me l'a fait payer le prix fort, la damnée
radasse ! J'ai cru qu'elle allait me jeter à la rue,
m'abandonner, sans gîte et sans pension, elle en est
capable ! C'est une truie mauvaise, messieurs ! Une
gorette cruelle. Comprenant que les choses ris-
quaient de se gâter, je lui ai proposé l'arrangement
dont je vous ai parlé : elle resterait baronne de
Broutemiche mais assurerait ma subsistance. Cela
dit, je suis en train de me venger, ou du moins
j'essaie. Pas commode.

— On peut savoir, m'sieur l'baron ? implore Béru
d'un ton gourmand.

Wilfrid regarde autour de lui, comme si des
présences silencieuses étaient venues se joindre aux
nôtres. Rassuré il chuchote :

— Je vais essayer de lui flanquer le SIDA.

Et il éclate de rire.

— L'idée est fumante, n'est-ce pas ?

— Certes, admets-je, mais j'envisage mal sa réalisation, du moins sans une participation active de votre épouse.

— Ne soyez pas benêt et réfléchissez, ami flic. Comment se transmet cette saloperie ? Hmmm ? Quelles sont les trois mamelles du SIDA ?

Je récite, en bon lecteur de la presse française :

— Sperme, sang, salive.

— Bravo ! Je m'efforce d'entrer en relation avec des malades contaminés. Pas aisé car on a tendance à les planquer. Mais je me suis déjà lié d'amitié avec un éminent professeur à qui j'ai raconté que je comptais écrire un bouquin sur la question et interviewer des malheureux frappés par le fléau. Dès que j'aurai obtenu gain de cause, je rendrai visite à l'un d'eux, m'efforcerai de capter sa confiance et me ferai remettre par lui un prélèvement de sa semence ou de sa salive. Ah ! messieurs les poulets, le jour où je rentrerai à l'appartement nanti de ce précieux virus, quel bonheur infini j'éprouverai à l'introduire dans le pot de yaourt que mange cette houri chaque soir avant de se mettre au lit, car elle souffre de paresse intestinale.

— Ça peut z'êt' dang'reux pour vous, d'manipuler c'te saloprerie, souligne Béru.

— Et alors, mon bon ? Il faut savoir vivre dangereusement. Mais changeons de sujet, je crois qu'elle rentre. Et vous ne m'avez pas dit encore ce qui vous amenait ici ?

— Vous allez l'apprendre en même temps qu'elle ! assuré-je.

LE CHARME

Alice était fascinée par cette voix suave qui, des heures durant, lui arrivait par les baffles scellés dans les murs. Elle se manifestait sur de la musique. Il y avait des périodes de déclarations enflammées, puis la voix se taisait et le niveau de la musique remontait. La prisonnière (mais est-on prisonnier lorsqu'on consent à sa détention et que, mieux encore, on la savoure ?) ne tardait pas à l'espérer de nouveau. Elle aimait ces accents feutrés, ces « r » qui roulaient comme du grain, ces mots doux et passionnés qui atteignaient son âme.

Elle répondait à son interlocuteur invisible. L'assurait qu'elle se sentait bien, heureuse, et qu'elle souhaitait le voir.

— Pourquoi ne vous montrez-vous pas ? demandait-elle avec reproche.

Il lui répondait que le moment n'était pas encore venu. Il fallait que des liens se tissent entre eux.

— Vous me voyez, mais je ne vous vois pas, ripostait Alice, ce n'est pas juste.

La « voix » lui répondit qu'elle redoutait la confrontation : « Vous êtes si belle, et moi si laid ».

— La laideur n'existe pas quand on est capable de dire ce que vous dites.

Il murmurait « merci », puis laissait la musique

investir l'appartement.

Un matin — c'était combien de jours après son arrivée ? Alice n'aurait su le préciser car ici la notion de durée s'estompait —, un matin, donc, « il » lui proposa de sortir dans le jardin.

— M'y rejoindrez-vous ? demanda-t-elle.

— Non, mais vous devez bouger, prendre l'air...

— Pas sans vous, répondit Alice.

Une fois de plus, il murmura « merci ».

BEURK!

On attend un instant, sans se montrer. Isabelle, la belle, vaque dans son appartement. Leurs existences sont réellement scindées car elle ne vient pas voir son vieux crabe. On l'entend aller et venir dans son univers mitoyen, indifférente à la proximité du mari. Elle se comporte vraiment comme si elle était seulabre, cette donzelle.

Lui, l'écoute, tendu, rageur, sardonique. Il commente à voix basse ses faits et gestes :

— Elle arrose ses plantes. Tous les soirs ; un de ses dadas. Elle passe dans son dressing pour se déshabiller. Elle branche la radio, faisant partie de ces gens qui ne savent exister seuls sans déclencher leur moulin à sottises...

Je lui désigne son propre transistor.

— Ça ne vous arrive pas, à vous ?

— Presque pas. Je hais. Ne supporte que la météo, et encore à condition qu'elle soit bonne !

« Ah ! maintenant, la cérémonie du bidet. C'est une personne qui abuse de ce genre d'ablutions. Elle y voit un acte purificateur, la salope. Combien de garces abjectes s'estiment vierges après s'être lavé les fesses, messieurs ? Elles ont des culs de linotte. »

Béru me sollicite du regard. Il pige mal que je tarde à me manifester. Qu'attends-je ? Je me le

demande itou. Pourtant, quelque chose me conseille
de ne rien bousculer. En fait, je préfère qu'elle se soit
mise au lit pour intervenir, Isabelle. Tant qu'à
batifoler dans l'illégalité, allons jusqu'au bout de
notre propos.

— Là, elle mange son yaourt, déclare le cocu.
Vous vous rendez compte de ma joie, le soir où j'y
aurai flanqué du foutre de sidiste ?

On poireaute encore. La chambre du vieux nœud
pue la ménagerie. On est dénoncés par nos odeurs,
les hommes. Nous pestilons. On fait illuse à force de
bains et de parfums, sinon c'est la Berezina atroce !
Nos fumets dénoncent le fumier en mouvement que
nous sommes. Arrête-toi de bouger et te voilà en
quelques heures putrescent. T'as beau te fourbir
l'oignon, te le rincer à grande eau, il schlingue
encore. Là est notre vérité animale. Pour obtenir
tous les renseignements les plus détaillés sur ta
condition humaine, une seule adresse : ton trou du
cul !

— Cette fois, elle se met au lit. Elle va lire des
revues pendant une dizaine de minutes, puis le
sommeil la gagnera.

San-Tonio gamberge à outrance. Ça fume du côté
de mes étiquettes, tiens, regarde ! Même que ça sent
le caoutchouc brûlé, comme quand un Sénégalais
baise avec une capote.

Wilfrid de Broutemiche me regarde et questionne :

— Vous attendez quoi ?
— Qu'elle dorme.
— Pour quoi faire ?
— Pour la réveiller !

Il soupire :

— Vous ne voulez toujours rien me dire ?
— Vous saurez tout à l'heure.

— Je suis patient, non ?

— Très, et je vous en félicite ; mais vous en serez récompensé ; je crois pouvoir vous promettre un moment rare.

— J'y compte bien.

— Vous n'auriez pas quelque chose qui me permettrait de dissimuler mes traits ? Car elle me connaît.

— Un bas, ça irait ? C'est classique.

Il va à un tiroir et en sort une paire de bas noirs agrémentés de broderies représentant de minuscules roses pâles.

— Ils appartenaient à ma chère Héloïse ; si vous pouviez ne pas les abîmer...

— Rassurez-vous, j'en prendrai le plus grand soin.

Je regarde ma montre.

— Vous saurez quand elle dormira ?

— Parbleu : sa chambre est contiguë et je vis à l'oreille. Elle jettera sa revue sur la descente de lit, bâillera très fort et actionnera son commutateur.

Il met son doigt à la verticale de sa bouche.

— Faisons silence, je vous préviendrai.

J'opine. Naturellement, il suffit d'intimer à Béru de fermer sa gueule pour qu'il l'ouvre.

Il me mugichuchotte dans la portugaise droite :

— Tu veux qu'on va la coincer en pleine dorme ?

— Oui.

— Biscotte ?

— Parce que cette gonzesse est un sacré morceau et qu'on ne la réduira jamais par les moyens normaux. Trop forte pour s'affaler avec des perdreaux. Il faut lui faire peur. Nous sommes admirablement servis par les circonstances ; grâce à son époux, on peut manœuvrer comme des chefs.

Renseigné, il consent à s'hermétiser.

— Ça y est ! annonce Wilfrid. La garce vient d'éteindre.

— Elle a le sommeil léger ?

— Non, normal.

— O.K., on va lui accorder encore dix minutes de répit ; après quoi, vous irez actionner le disjoncteur électrique de façon à ce qu'elle ne puisse éclairer.

— Entendu.

— Vous nous guiderez alors jusqu'à sa chambre et vous nous laisserez agir sans intervenir. Essayez de ne pas vous montrer.

Il en tremble de joie.

— Ah ! mes amis, mes chers amis, je crois que je vais éjaculer de bonheur. C'est trop, c'est trop : vous me comblez !

Toujours ces parfums qui me tarabustent.

La chambre de la mère Isabelle pue très fort. Elle doit asperger vilain, la gueuse, vivre dans les essences les plus rares. Et pour comble, les bas de feue Héloïse reniflent aussi : une odeur fanée mais obsédante au point que ça me flanque envie d'éternuer.

J'ouvre la lourde et pénètre le pommier, m'éclairant de ma lampe-stylo à faisceau popkorn concentrique. J'opte pour bâbord et fais signe au père d'Apollon-Jules d'accoster le plumard capitonné par tribord.

Manœuvre exécutée en souplesse. Je dépose doucement la mallette métallique, debout au pied du lit, qu'ensuite de quoi, je braque le faisceau de ma loupiote sur la frime d'Isabelle.

Les fesses se font sentir, elle bat des cils et ouvre ses vasistas. Aveuglée, elle met sa main en parade devant ses yeux.

— C'est vous, Wilfrid ? grommelle Isabelle.

Et moi, ton un tantisoi caverneux :

— Non, ma poule, c'est pas Wilfrid !

Pour lors, tu verrais cette cabriole ! D'une détente elle se met sur son séant, lequel a de l'assiette si j'en crois les révélations intimes de son vioque.

Elle tâtonne pour le commutateur. L'actionne : zéro ! *The light,* ça sera pour une autre fois. Du coup, elle panique.

— Qui êtes-vous ?

— Des gens qui ne plaisantent pas.

— Que voulez-vous ?

— Alors ça, c'est une bonne question à cinq cents millions ! Ce qu'on veut ? Regardez !

Je cesse de lui planter le faisceau dans la poire et l'éloigne lentement sur le lit, sans hâte, pour aller éclairer la valise de métal.

Un superbe silence, plus beau que du Vivaldi, suit. Son et lumière sur l'accroc de Paul, comme dit le Gravos.

— Qu'est-ce... qu'est-ce que... qu'est-ce que c'est ? bafouille Belle Isabelle.

— C'est l'autre, réponds-je.

Toujours rester laconique, la pression est bien plus forte. La jacte rassure, le mutisme affole.

— L'autre quoi ?

Quelque chose s'opère dans les pénombres, un déplacement d'air, un bruit sourd. Sa Majesté Béru Ier père du futur Apollon-Jules Ier vient de mornifler la gonzesse. La belle beigne franche et massive venue d'ailleurs. Dans le noir, ça émotionne. Isabelle se met à glapir. Pour la calmer, le Mastar lui complète la paire en grondant :

— Ta gueule, morue !

Un qui doit se répandre dans son slip, c'est le pote Wilfrid ! S'il parvient à suivre tout ça bien comme il faut, il avoisine l'extase ! Voir sa houri subir un traitement tel qu'il aimerait lui en infliger dix heures par jour, c'est bandant, non ?

Je reprends :

— Ça, c'est la valise que vous avez achetée à Prisunic, hier. La vendeuse était une petite brune boulotte, avec un œil qui disait merde à l'autre, vous vous souvenez ?

Ces détails rapportés par Mathias qui a mené une enquête serrée la dégoupillent complet. Il a fait du bon boulot, le Rouquemoute. La description de Belle Isabelle cadrait pile avec celle d'une des clientes ayant empletté une valdingue de métal.

Je sors mon pote Tu-Tues de ma vague et le promène contre son visage. Je finis par le pointer contre sa pommette droite.

— C'est du neuf millimètres, je dis. Si la bastos rentre par là, vous n'avez plus de frimousse, Belle-Isabelle. On vous enterrera avec un trou à la place du visage ; une belle fille comme vous, ce serait dommage, ça filerait la gerbe aux asticots.

On perçoit un faible bruit : elle tremble. Ses chailles jouent aux castagnettes et tout son être s'agite.

— On veut la valise de Lambert que vous avez échangée contre celle-ci, dans le tiroir du bas de son bureau. Je ne vous donne pas une minute de réflexion, je ne compte pas jusqu'à dix, je veux la réponse immédiate sinon je tire.

Béru, toujours bonnard pour les grandes rescousses, applique lui aussi le canon de son feu sur l'autre pommette de cette vilaine fille.

— Non ! Ne tirez pas. Elle est dans une consigne de la gare de Lyon ! hurle Mme de Broutemiche.

— Et la clé de la consigne ?

— Dans mon sac à main.

— Va voir ! enjoins-je au Dodu.

— Il est où est-ce, vot' sac, ma p'tite déme ?

— Sur la commode. J'ai mis la clé dans mon poudrier, sous la houppette !

Le Démoniaque vérifie, opine.

— Numéro quatre-vingt-quatre ? il lit interrogativement au faisceau de ma loupiote.

— Oui, soupire ma « patiente », vaincue.

Je chuchote à l'oreille de Sa Grassouillette Majesté :

— Appelle un bahut et va chercher l'osier ; je t'attends ici.

Le Zélé opine et s'éclipse, poussant un juron au passage parce qu'il s'est pris les pattounes dans celles de Wilfrid embusqué dans l'encadrement.

Lorsqu'il est parti, je m'assois sur le lit, face à Isabelle, en tenant ma minuscule torche braquée sur ses yeux. Ça aide aux interrogatoires, tous les perdreaux du monde te le diront.

— Où est la fille Lambert ?

Elle écarquille ses vasistas.

— Je l'ignore !

— Vous vous faites payer une rançon et vous niez avoir trempé dans le rapt ?

— Je... Alain Lambert était affolé à propos d'Alice parce qu'on ne lui réclamait rien...

— Et vous avez décidé de lui demander une rançon pour le rassurer ? ironisé-je.

Elle ne répond pas, j'enchaîne :

— Cinq cents millions d'anciens francs, vous êtes une maîtresse coûteuse !

— J'ai perdu la tête !

— Je trouve que vous l'avez drôlement sur les épaules, au contraire, ma bonne dame.

Dans la ténèbre, Wilfrid se dresse, majestueux dans sa vieille robe de chambre. Un chevalier de la Table Ronde !

— Infâme épouse ! déclame-t-il, ce qui constitue déjà le tiers d'un alexandrin ; mais le reste va être livré dans l'instant.

A preuve :

— Charogne qui ose porter mon nom ! Loque humaine, pus de fumier ! Raclure de sanie ! Chienne en chasse ! Slip merdeux ! Bévue de Dieu ! Fausse couche vivante ! Honte de l'espèce ! Limon de marécage ! Cloaque de cul ! Basse salope ! Dégueulis d'ivrogne ! Menstrues de gorgone ! Fille de pute vérolée ! Diarrhée verte ! Sécrétion hépatique ! Venin pourri ! Décomposition avancée ! Exhalaison d'égout ! Rate crevée ! Communiste ! Naufrageuse de particule ! Sous-garce !

Il scande dur, de Broutemiche. Ça devient beau, y a du rythme, un balancement, des images... Il se laisse emporter, tournoie dans les cosmos, à la fois ficelle de toupie. Il se débafoue un grand coup ! Il solde de tout compte ! Se dépasse ! Grandit ! Y aurait que Mounet-Sully pour le courser, et encore ! Sa voix enfle, enfle, s'emmajeste ! Don Diègue, le comte et le Cid réunis. Fleur de pissotière ! Mouche à merde ! Chiottes de gare bouchées ! Venaison gâtée !

Bon, il reprend souffle. C'est sublime, dans l'obscurité de le voir ainsi. Une enseigne pour Fiat, rouge italien, filtre à travers volets et rideaux, jetant dans l'ombre épaisse des éclaboussures sanglantes.

La dame s'écrie :

— Oh ! toi, le vieux con, la ferme ! Ou je te coupe les vivres !

Son tempérament qu'emballe, à Isabelle. C'est de la pétroleuse atroce, de la gourgandine sauvage. Elle vient de foirer son coup. Cinq cents tuiles qui se transforment en une seule, d'importance ! Commence à se poser des questions : qui je suis et comment sa combine a explosé au départ ! Qu'est-ce qu'il s'est produit, tu piges ? Comment se peut-ce ? Tout ça...

Ma pomme également se bigorne avec ses points d'interrogation. Par exemple, me demande si cette pétasse a réellement trempé dans l'enlèvement d'Alice. Je ne le « sens » pas, mais il se peut que j'aie le nez bouché, avec ces grippes en circulation. En tout cas, je ne peux pas négliger l'hypothèse. Logiquement, je devrais me débasser (arracher mon bas) et sortir mes menottes. Arrestation ! Mais avec cette salope, c'est elle qui serait chiche de porter le pet, comme quoi on a établi une mise en scène et qu'en pleine nuit on est venus la molester dans son pucier ; qu'elle est innocente, Blanche-Neige de partout, martyre et presque vierge, sainte Blandine ! Ma décise est gravissime. Un pas de clerc et je l'ai dans l'os. Non, faut que je vais suivre mon instincte, dirait Béru.

— Donnez à madame de quoi écrire, elle va signer des aveux ! dis-je au déclameur de stances.

Comment il empresse, Wilfrid ! Une tornade blanche, tu assisterais ! Monsieur Propre en accéléré !

Mais pendant que nous restons seuls, Isabelle déclare :

— Je ne signerai rien !

— Alors vous ne verrez pas le jour se lever ! déclaré-je catégoriquement.

A nouveau, le pétard sur la pommette.

— D'ailleurs je me demande si ce ne serait pas la meilleure solution.

— Qui êtes-vous ?

— Quelqu'un qui remet les pendules à l'heure et qui ne chipote pas sur les moyens !

Et v'là pépère de Broutemiche qui se la radine avec un bloc correspondance vélin supérieur, et une pointe Crouille.

— Tiens, abomination ! Honte de ma vie ! Radasse infecte !

Il lui cloque son petit matériel pour « Confessions d'une pute du Siècle » sur le pubis, par-dessus drap et couvrante.

— Inutile, dis-je, votre morue préfère mourir que de signer. Reculez-vous si vous ne voulez pas voir ça !

— Pas voir ça ! Mais je donnerais tout ce qui me reste à vivre pour assister à un tel régal. Je donnerais nos décorations de famille au P.C., mon nom à un nègre, mes yeux à la science et mon âme au diable !

— Navré de vous décevoir, mais je vais lui mettre son oreiller sur la figure et tirer à travers ; c'est ma méthode. De cette manière, le travail est plus propre. Sinon, avec un calibre pareil on en prend partout, c'est dégueulasse.

Je commence à lui arracher son oreiller, alors elle beugle !

— Je signe ! Je siiiiigne !

Je fais mine d'hésiter, puis de me raviser.

— Très bien, alors écrivez : « Je soussignée, Isabelle de Broutemiche, née Martinet...

Wilfrid intervient :

— Ne pourrait-elle écrire simplement : « Je soussignée Isabelle Martinet ? Je ne puis tolérer mon nom dans une pareille infamie.

— Si vous voulez...

— Je préfère.

— Soit. Alors : « Je soussignée Isabelle Martinet, déclare avoir voulu exploiter la disparition de Mlle Alice Lambert pour extorquer à son père, qui est mon amant, une somme de cinq cents millions de francs. »

Elle écrit en tremblant, car elle se demande très fort si, une fois cette confession rédigée, je ne la plomberai pas tout de même.

— Datez et signez !

Elle n'a pas plutôt achevé que son vieux se jette sur le bloc, arrache le feuillet manuscrit et me le tend.

— J'espère que ça ne fait que commencer, hein ? murmure-t-il. Ça va être les galères à vie, non ? Elle va peler des pommes de terre jusqu'à son dernier souffle. Se casser les ongles dans des ateliers de prison. Mais vous êtes bien sûr qu'elle ne mérite pas une balle dans l'œil ? Juste dans un œil, pour me faire plaisir ? Je la voudrais tellement morte et borgne !

Un coup de sonnette stoppe sa supplique. Béru qui revient de la gare avec l'autre valise métallique.

— L'artiche s'y trouve ? questionné-je.

— Paré, mec. Les cinq cents pions y sont, j'ai compté dans le taxi en revenant.

— Alors, en route !

— Qu'est-ce qu'on fait de cette chérie ?

— On la tient à l'œil.

— Vous permettez, fait le Mammouth en s'avançant vers la tête du plumard.

Il saisit le haut du drap et le rabat complètement.

— Eclaire-moi un brin, just' pour dire.

Le voilà qui retrousse la chemise d'Isabelle terrorisée et qui gémit de trouille, croyant son trépas arrivé.

Le Valeureux contemple et déclare :

— C'pourtant vrai, ce que cause son époux : médème a des culottes d'cheval. C'est l'genre de cul, v'voyez, bon, j'dis pas que j'ferais la fine bite, mais j'aurais moins d'bonheur avec un bon gros fessier bien rebondissant façon Berthaga.

Nous caltons en emportant les deux valoches.

Alors, les choses continuent de la manière suivante : On regagne notre tire, on place les valoches à l'arrière. Je m'installe au volant. Je lance le moulin.

J'allume les phares. Je mets le clignotant pour
déboîter, bien que la rue soit vide, mais nous vivons
dans une société où, si t'es pas automatisé t'es mort.
Me voilà dans la rue. Je vais pour lancer le bidule,
qu'à cet instant, une chose claire tombe du ciel et
s'écrase dix mètres devant le museau de la guinde. Je
freine pile. Malgré le bruit du moteur, j'ai perçu le
baoum ! de l'écrasement.

Belle Isabelle gît sur le pavé parisien, morte.
Défenestrée !

Je sors de ma tire pour l'examiner, elle a la nuque à
45 degrés. Et c'est pas beau. Ce que je lui promettais,
par taquinerie, en lui gratouillant la pommette avec
mon feu s'est opéré.

J'élance dans l'immeuble. Coup de sonnette chez
les Broutemiche. J'attends.

L'huis s'entrouvre.

— Qu'est-ce que c'est ? demande la voix ensom-
meillée de l'ami Wilfrid.

— Ouvrez, c'est moi !

Il ouvre.

— Vous avez oublié quelque chose ? demande-t-il,
bonasse.

Les bras, les burnes, les yeux m'en tombent.

— Vous venez de balancer votre rombière par la
fenêtre ! exposé-je.

— Moi ! J'étais couché !

On se regarde. Je lis dans ses lotos enfoncés qu'il a
renoncé au Sida pour user d'un moyen plus expéditif.

Il soupire :

— C'est cette confession qui l'aura déterminée à
en finir, si vous voulez mon avis. Elle a compris que,
désormais, sa vie était foutue. Que voulez-vous
qu'elle fasse pour continuer avec un papier aussi
accablant ? *Dont j'ai un double,* ayant eu l'idée de
placer un carbone à l'intérieur du bloc.

Le vieux brigand !

Tu parles d'un chou, Pépère. Après la séance à laquelle nous nous sommes livrés, Béru et moi, on ne peut guère le traiter d'assassin ; ça plongerait dans les méchantes confusions, les doutes abjects et les médias se goinfreraient de sous-entendus pernicieux.

— Faut appeler Police-Secours ? me demande de Broutemiche avec calme.

— Je crois que c'est le mieux, admets-je.

LE JARDIN D'ALLAH

Alice fit quelques pas et s'assit sur un banc. L'air capiteux du matin la chavirait. Elle venait de passer plusieurs jours confinée dans sa chambre et il lui semblait qu'elle relevait de maladie. Elle se mit à regarder le jardin, émue par tant de harmonie, de grâce et de parfums. Des orangers, des citronniers, des lauriers-roses à profusion, des plates-bandes de rosiers allant du blanc au rouge en passant par toute la gamme des roses, des amphores d'où coulaient des flots de fleurs rampantes, des pelouses aux étranges arabesques, le sable ocré des allées, tous ces éléments composaient une œuvre d'art. Des colombes blanches, familières, voletaient dans cet éden, se perchant sur les branches basses des arbustes, ou s'ébattant au sol en des joutes amoureuses. Une odeur de jasmin dominait celle des roses. Une tour carrée, blanche et crénelée, se dressait au-dessus d'un moutonnement de toits. La voix d'un muezzin appelait à l'une des cinq prières journalières. Elle était répercutée par un haut-parleur qui la déformait en lui infligeant des nasillements métalliques ; néanmoins, elle ajoutait à l'enchantement de l'instant. Alice continuait d'être en état de totale félicité. Par instants, elle se demandait si on ne la droguait pas à son insu tant elle se sentait radieuse de corps et d'esprit ; mais cette perspective ne l'émouvait pas outre mesure tant elle appréciait cette espèce de magistrale paix, ce bonheur stupéfiant comme elle n'en avait jamais connu jusqu'à lors.

Elle tendit la main vers l'amphore placée à côté de son banc et cueillit une tigette de plante d'un vert presque noir portant une fleurette blanche à quatre pétales. Elle plaça la tige entre ses lèvres. Elle avait un goût amer.

Le soleil emplissait le ciel bleu d'une clarté d'apothéose. Alice renversa sa tête en arrière pour offrir son visage à la chaleur. Elle demeura longtemps dans cette position et s'en arracha parce qu'elle avait le sentiment d'être observée.

Regardant autour d'elle, elle aperçut un étrange personnage à l'autre extrémité du jardin. Un être énorme, à la chevelure brune ondoyante sur la nuque. Il se laissait pousser la barbe et, de loin, on avait l'impression qu'il portait une sorte de bavette noire sous la bouche et que celle-ci descendait jusqu'à sa poitrine. L'homme était vêtu d'un burnous immaculé qui scintillait comme de la nacre.

Il se tenait assis dans un fauteuil de jardin et contemplait Alice sans ciller. La fixité de ce regard était si intense que la jeune fille se dressa et, à pas lents, se dirigea vers l'énorme bonhomme.

Il ne cessa de la regarder pendant tout le trajet, se leva lorsqu'elle arriva à quelques mètres de lui et la salua d'un profond signe de tête.

Ils restèrent un long moment indécis, les yeux dans les yeux. Alice finit par lui sourire et il en fut comme ébloui.

— C'est vous, n'est-ce pas ? demanda-t-elle.

Il sut à quoi elle faisait allusion et battit des paupières. Il possédait de longs cils noirs qui rendaient son regard sombre plus sombre encore.

— J'aimerais que vous me parliez, fit-elle.
— Je n'ose plus, murmura-t-il.
— Pourquoi ?
— Parce que vous pouvez me voir.
— Justement, s'étonna Alice, c'est mieux ainsi.

Elle avança la main et saisit le poignet grassouillet de son « amoureux ». Elle le trouvait beau et fascinant. Kazaldi le comprit et des larmes firent de ses yeux deux diamants noirs (1).

---

(1) Je viens de relire ce court chapitre ; je voudrais pas me vanter, mais c'est vachement chié !

Tu vois, quand je veux m'appliquer, l'où est-ce qu'ils vont dinguer, les prosateurs assermentés !

(San-A.)

DEUXIÈME PARTIE

APOLLON-JULES

PIF !

Ça ne paraît pas tellement le combler d'avoir si vite récupéré sa fraîche, Lambert. C'est un brave gonzier, pas obnubilé par les biens de ce monde. Pour lui, les vraies richesses sont ailleurs ; seulement, de ce côté-là il est guère comblé, ce chéri. D'apprendre qu'il a été fabriqué par sa maîtresse, et surtout que celle-ci « s'est donné la mort », le cisaille.

Il touche le fond du gouffre ; le bout de la nuit. Il coule à pic. Tout est perdu, foutu, rincé. Plus le moindre brin d'herbe à quoi s'accrocher au flanc de la falaise qu'il dévale.

Il est penché en avant, la tête presque entre les jambes, c'est te dire ! Qu'à peine il a jeté un œil au pacxif de grisbi dans la valise ouverte.

Ses yeux lui pendent de la tête ; sûr qu'ils vont finir par rouler sur le tapis persan !

Bérurier qui, à présent, connaît les lieux, revient de la cuistance où il est allé se préparer un sandouiche de sa composition en l'absence de la grosse Tania. Un vrai monument classé, ce sandwich. Il a fendu une baguette en deux et y a installé une profusion de nourritures variées : rosbif, foie gras, œufs de saumon, morceaux d'omelette, quiche lorraine, camembert, reste de ragoût, etc. A noter que les végétaux sont absents de cet échantillonnage, Béru affirmant

volontiers que le meilleur des légumes restera toujours la viande.

Son bouffement dégouline de partout, chaque fois
qu'il y plante ses dents carnassières. Il murmure :

— M'sieur Lambert, sauf vot' respecte, vous
seriez-t-il assez gentil de me dire où est la cave ? Y a
plus la moind'goutte de pichtegorne à l'officiel.

— Béru ! sermonné-je, tu en prends à ton aise.

Le Gros désigne la valdingue.

— Quand c'est qu'on ramène cinq cents tuiles à un
monsieur, on peut s'permett' d'lu solliciter un coup
d'rouge, non ?

Lambert, arraché de son désespoir, raconte
comme quoi, la cave, faut sortir dans le jardin et que
c'est l'escalier de droite et y a la clé dans le tiroir de la
cuisine.

Exit le Mahousse qui, avant de sortir, dépose son
sandouiche des Mille et Une Nuits sur l'habillage de
velours d'une table ronde supportant des bibelots
rares dont il devient le fleuron.

Je m'assois face à Lambert.

— Oublie ta pétasse, Alain, tu étais tombé sur ce
qu'on nomme une gourgandine sans scrupule. Elle se
jouait de toi et seul ton fric l'intéressait.

— Elle s'est tout de même suicidée ! riposte-t-il.
Preuve que...

— Preuve qu'elle a eu peur en se voyant démas-
quée. Ne commence pas à l'embellir ! Nous sommes
les rois des cons, nous les hommes. Toujours prêts à
trouver des circonstances atténuantes à celles qui
nous grugent et à voir de saintes innocentes en celles
qui nous font cocus. Tu te traînais une salope au fion,
mon grand, ça oui. Expulse-la de ton esprit. Ce qui
importe, c'est de retrouver Alice.

— Je le sais bien, soupire Lambert. Mais nous
voici dans l'impasse.

— Peut-être que non, laissé-je tomber doucement au bout d'un silence hésitant.

Il réagit :

— Tu as du nouveau ?

— Il y a peut-être une autre piste. Et cette autre piste, elle je la sens ; le coup de la rançon m'en avait détourné.

En termes suce sein, je lui bonnis tout ce que je sais sur le dénommé Kazaldi. Il m'écoute, ferme les yeux.

— En y réfléchissant bien, je me rappelle effectivement cet homme. Un obèse effroyable, adipeux, qui regardait fréquemment dans notre direction au *Pasha*.

— Il se trouve présentement dans sa propriété de Marrakech, ce qui va compliquer les choses car je n'ai pas qualité pour intervenir là-bas. Il faut que ce soit de façon tout à fait occulte.

Alors il s'arrache à ses misères, Alain Lambert de Chosetrucmachin.

— Ecoute, me dit-il. Je possède un avion particulier, un jet avec pilote pour mes déplacements en France et en Europe. Veux-tu que, dès demain matin nous partions pour Marrakech ?

Il désigne la valise de métal récupérée à la consigne.

— L'argent ne manque pas. Si l'on doit s'assurer des complicités, là-bas, nous avons de quoi les rémunérer.

Ouf ! Il est sauvé. Il va enfin agir. Y avait que cela pour le tirer du désespoir. L'inertie est un pourrissement.

Bérurier revient, nanti de deux bouteilles de Richebourg illustres.

— J'ai pris c'qui m'tombait sous la pogne, déclare-t-il avec un air faux cul qui équivaut à de la franchise.

La deuxième boutanche c'est juste au cas qu'vous m'feriez un brin d'conduite, mais si vous n'en boiveriez pas, il est pas dit qu'je l'entamasse.

*
**

M'man a les larmes aux yeux de rendre Apollon-Jules à son illustre paternel. Bien langé, le bavoir fraîchement amidonné, le bonnet capuchonnant bien sa tête un tantisoit hydrocéphale, le moutard en jette comme s'il se présentait au concours du plus beau bébé de France. Sa Majesté se saisit du petit prince, l'assure dans le pli du bras, dépose sur sa joue un baiser vorace qui l'estampille de jaune d'œuf et le fait bieurler.

— J'vous r'mercille infiniment, maâme Félicié ; c'est très gentille à vous.

Il cligne de l'œil.

— Maint'nant, je sais à qui qu'on pourra confier c't'artiss quand t'est-ce nous irons en voiliage, moi et Berthe.

Nous voilà en décambutage. Lambert m'a filé le ranque à l'aéroport du Bourget, mais je dois auparavant déposer les Bérurier père et fils à leur domicile. La bagnole endort Apollon-Jules et c'est tout bénéfice.

— T'y crois, toi, à la piste du gros Arabe ? chuchote Alexandre-Benoît.

— Oui, répondis-je résolument.

— T'imagines quoi ?

— L'acte d'un sadique, je crains bien. Ce gros mec doit être un détraqué sexuel. Il aura jeté son dévolu sur Alice Lambert, et comme il dispose probablement d'une main-d'œuvre compétente, il l'aura fait enlever pour assouvir ses bas instincts.

— Pour, ensuite, y sectionner le corgnolon ?

— J'en ai bien peur.

Le Mastar serre fort son hoir contre lui.

— Moi, un mec f'rait ça à Apollon-Jules, j'y coupe les couilles, j'lui oblige à les bouffer, n'ensute j'le plonge dans une cuve d'acide, et puis...

— Voilà qui me paraît être un traitement complet, l'arrêté-je.

On se pointe devant son immeuble.

— T'sais ce dont il m'ferait plaisir, mec ? déclare le Mastar. C's'rait d'aller av'c ta pomme à Macache Bonno. J'ai idée qu'on n's'rait pas trop d'deux si y s'met à vaser des chieries, là-bas.

— En effet, conviens-je.

— La Grosse va sûr'ment rouscailler comme quoi j'la laisse seule avec Popo, tu d'vrais viendre av'c moi pour qu'on y entende raison, cette douceur. Tu l'impressionnes.

Il ajoute, dans l'escadrin :

— Berthe, c'est plutôt l'genre sérieux, en tant qu'épouse, pourtant j'sus certain, tu lu proposerais la botte, elle r'fuserait pas.

— Jamais je ne ferais ça à un ami comme toi ! m'écrié-je avec un tel accent de sincérité qu'il en est retourné.

— Mercille, gars. Slave étant dit, j'me rends compte qu'à l'idée d's'e laisser tirer par toi, une gonzesse, elle est prêt'à faire brûler les cierges qu'é s'fout dans la moniche pour obtiendre du ciel un tel bonheur.

Juste comme il ouvre sa porte, on entend carillonner le biniou dans son logis. Le Gros se précipite et va décrocher. Il désappointe en reconnaissant la voix de sa chère compagne.

— Allô ! Moui, on arrive à l'instant, moi et Popo. Tu es où est-ce ? Ah ! bon ? Comment ?... Ah ! bon, fais-y mes compliments !... Qu'est-ce tu dis ?... Moui.

Moui, j'comprends. Non, t'as raison, c'serait incorrèque. Bon, ben, j'vais m'arranger.

Il embrasse l'émetteur et raccroche. Puis, se tournant face à moi.

— Figure-toi qu'y sont toujours à Montbéliard. Alfred a z'eu l'premier prix et y a d'grandes manifestances organisées en leur honneur. Tous les grands journaux d'Montbéliard font une circonférence de presse. La mairie donne un grand banquet, tout ça. Brèfle, y n'rentrereront qu'd'main.

— En ce cas, ton voyage au Maroc est scié.

— Penses-tu : je vais laisser Apollon-Jules à maâme Glandsale, not' concierge.

On redévale.

Las! Un écriteau est fixé à l'intérieur de la loge, entre la vitre et le rideau sale de la porte-fenêtre :

LA CONCIERGE EST EN DEUIL
DANS SA FAMILLE
POUR DURANT TROIS JOURS

— C'est ben la vérolerie, bordel! tonne mon pote.

Mais ce n'est pas l'homme des longues lamentations.

— On n'a pas le temps d'rembarquer le mouflet chez maâme Félicie?

— Bien sûr que non, je suis déjà à la bourre!

— Alors, nous cassons pas l'cul : je l'emmène.

— A... à... à Marrakech? je m'exorbite.

— Et pourquoi pas? L'air y est pas plus mauvais qu'alieurs, non? Et av'c un lardon dans les bras, j'te jure qu'on passera inaperçus.

Il baigne tant tellement dans le sirop d'orge, Alain Lambert, qu'il réagit pas devant le bébé. On lui amènerait une colonie de vacances dans son jet, ça le laisserait indifférent, au point extrême où il en est.

Son zinc, c'est de l'appareil surchoix. Dix places,

tout confort. Un beau zoizeau blanc avec des zizi-goumis rouges et des chiffres noirs. Il est drivé par un gars du genre coureur de brousse, un grand blond à gueule de mercenaire mal rasé, impressionnant dans une combinaison blanche. Il se nomme Slim et je suppose qu'il n'est pas français pur fruit. Je l'imagine en jean ravagé, avec une limouille à épaulettes. Style romantisme néo-cradingue, si tu vois ? Pour les garçons de sa trempe, le monde commence à être trop exigu et ils se cognent contre les murs. Son regard clair, intense, sa gueule aux plis précoces en disent long comme le règne de Louis XIV sur son tempérament baroudeur.

On se serre la louche sur présentation de Lambert. Lui, il jette un regard à Apollon-Jules et déclare simplement :

— Mon plus jeune passager.

Et puis bon : bouclons nos ceintures. Ça jacte avec la tour de con. Slim et un gazier du trafic échangent l'essentiel de ce qu'ils doivent savoir. Dans un élan souple on saute dans le ciel, franchit la couche de merde qui tartine la région parisienne et débouche dans le soleil pimpant qui nous attend là-haut.

Béru virgule une louffe de décompression qui se mêle au bruit des réacteurs. Je le foudroie d'un regard sombre.

— Les pets de Damoclès ! explique-t-il.

Il rit, joyeux de vivre, d'être père et de se baguenauder dans l'éther. Son marmot pionce sur son sein paternel. Touchante image. Quand on visionne les Bérurier, ainsi enchevêtrés, on se persuade non seulement que l'homme descend bien du singe, mais qu'il y remonte.

Dans le fond, nous avançons dans la vie comme dans une barque : à reculons.

Vaincu par mon existence trépidante et ma mal-dormance, je me mets en écraser.

Tout le monde te le dira que Marrakech est l'une des plus belles villes du monde.

Attends, je vais te montrer le dépliant touristique... Tu vois : c'est blanc et ocre, avec des édifices vachetement bathouzes ; et puis des palmeraies de-ci, de-là, des propriétés princières, le golf, les orange-raies... Dans le fond, jusqu'aux confins les plus lointains, la chaîne de l'Atlas. Sublime. Rouge, avec des reflets bleutés et mauves. C'est beau, le Maroc. Noble. On distingue des piscines de rêve à travers les frondaisons. Les souks comptent parmi les plus pittoresques du monde. Bien plus formides, par exemple, que ceux de Stockholm ou de Varsovie qui ne sont plus ce qu'ils étaient. Et le marché, dis, tu l'as vu le marché ? Tous ces étalages bigarrés (dans une description de ville du Sud, n'oublie jamais l'adjectif bigarré, il est indispensable ; t'oublies « bigarré » et tu carbonises ta réputé d'écrivain célèbre ; faut se gaffer à ce genre de détail dans mon métier !), ces mon-treurs de serpents, ces marchands de cuivres ouvragés ou de bijoux en véritable argent bien imité. Des fois, quand tu as de la chance, tu vois passer le roi. Un monarque sympa, pas fier ; juste la bonne pointure, à cheval entre modernisme et tradition. Majestueux sans le faire exprès, mais la volonté d'être simple. Il traverse la populace avec une canne de golf à la main en guise de sceptre. La foule liesse en plein. Crie « Vive ! Vive ! » ; et lui, fait droit à sa requête : il vit. C'est dur de rester roi, de nos jours, j'en causais la semaine dernière avec Elizabeth (pas celle qui travaille chez Cartier, celle qui travaille à Buckingham). Faut du cran, pas craindre, se faire

accepter et même aimer. Monarque, merci bien !
Plus une sinécure ! Pour rester dans le coup, faut
travailler son *look*. Une cravate pas conforme, un
sourire mal venu et y a de la détrônance dans l'air.

Les derniers funambules, les souverains. Les sul-
tans sont vite insultés, de nos tristes jours.

Bon, je t'en reviens à la sublime Marrakech, si
enchanteresse. Médiévale ! Ça rameute ferme la
gentry ternationale. Pédoques de haut niveau qu'ont
le cul bordé de nouilles en or ! Grands financiers en
mal de fastes. Artistes en tout genre. Pétasses
réputées. Les gens du patelin voient radiner le flot et
s'exercent doucement à piquer un max à ces para-
sites. Les roulent de leur mieux, comme la semoule
du couscous. Moi, je leur dis bravo. De quel droit
t'es envahi par des hordes barbares qu'en comparaison, celles d'Attila ressemblaient à des pèlerins
déferlant sur Lourdes ? Parce que t'habites un bled
sublime, voilà que ça se pointe de Nouillork, de
Paname, de London, et de partout ailleurs, pour te
voler ton panorama et ton soleil. Ils déboulent
comme en pays conquis. Part à tous, camarades !
Nous aussi, on la veut, la palmeraie ! Il nous le faut,
l'Atlas ! Tirez-vous de devant, vous nous faites de
l'ombre ! La Troisième Guerre est en cours, les gars.
Et ce sont les touristes qui la livrent. Au plus ils sont
huppés, au plus ils font mal. A nous, le Maroc ! Les
Seychelles ! L'Andalousie ! Les îles grecques ! Tail-
lez-vous dans l'arrière-pays, les ploucs ! Laissez-moi
usiner avec mon blé étrange venu d'ailleurs. J'achète,
j'achète ! *Raus !* Ton lopin, ta lapine. Laissez vos
femmes : elles pourront servir. Et même votre
gamin, le petit frisé. Il suce bien, j'espère ?

Moi, à force de me traîner les burnes de continent
en continent, je la vois se développer, l'infernale
invasion. Je les vois pousser les grands immeubles

épouvantables, souilleurs de contrées merveilleuses.
Ils sont niqués les autochtones. Ont beau laisser faire
le temps, leur vaillance et leur roi, ça prolifère.
Hôtels de luxe à deux trois piscines « olympiques » ;
villas hollywoodiennes ; Rolls et Ferrari. Que les
pauvres dromadaires ont juste le temps de planquer
leurs miches. Ils les regardent passer avec leur regard
haut perché et paterne qui fait songer à celui du
président Mitterrand passant les troupes en revue.
Toujours, tu le remarqueras, le président quand il
arpente devant un détachement d'un air détaché ;
mais la démarche empreinte et l'œil dromadaire, moi
je trouve.

Et bon, je débloque, déconne, même, car les
vérités sont stériles. Le bon sens est un langage qu'on
pige de moins en moins. Quelques-uns qu'écoutent,
hochent la tronche et pensent : « C'est pas bête, ce
qu'il nous dit ; mais c'est con. » Et tu sais pourquoi
c'est con, Lanture ? Parce que *ça ne sert à rien*. Et en
nos temps de merde, y a que ce qui sert vraiment à
quelque chose qui est pris en considérance.

Alors on déboule dans Marrakech. Slim s'occupe
des formalités pour le zinc. Mais les fonctionnaires de
la police des frontières nous cherchent du suif à cause
d'Apollon-Jules. Faut dire qu'il n'a aucun faf,
l'exquis bébé. Pas même un extrait de naissance. Et
le Gros ne s'est pas muni de son livret de famille.
Alors, Apollon-Jules, c'est comme s'il n'existait pas,
tu piges ? Heureusement, Lambert traite beaucoup
avec le Maroc. Je ne sais pas ce qu'il fabrique, mais il
en vend aux Marocains, des caisses et des caisses ! De
ce fait, il est assez lié avec le ministre du Commerce.
Quelques coups de turlu bien placés et ça se tasse.
On délivre un visa d'entrée au descendant des
Bérurier.

Il nous convie à la Mamounia, Lambert. Au diable la ladrerie ! Notre installation est d'autant plus rapide que, selon notre bonne habitude, Béru et moi sommes sans bagages.

Son lardon fouette vilain. Il expédie un groom à la pharmacie pour acheter des couches et des pots de bouffe pour bébé de deux mois.

Pendant qu'il puéricule et que Lambert défait sa valoche, je frète un taxi et me mets en quête d'une résidence qui s'appelle « L'Orangeraie ».

La propriété doit compter parmi les chouettos de Marrakech, car le driver n'exige pas plus d'explication que ses confrères de Washington à qui tu demandes de te charrier à « la Maison-Blanche ». Il bombe comme un dingue par les larges artères, doublant à gauche et à droite, brûlant les feux rouges, détraquant l'aorte des piétons dans une équipée sauvage digne des meilleurs films de poursuites américains. Que, très bientôt, nous voici rendus devant une demeure immense, cernée de murs blancs, au centre de laquelle se dresse une sorte de minaret qui, en réalité, sert de colombier. Les toits s'étagent harmonieusement et de blancs pigeons roucoulent ou se foutent la troussée sur les tuiles ocre parsemées de tuiles bleues. Tout est silence. On aperçoit des frondaisons de cyprès et d'orangers par-dessus le mur. Une porte ouvragée, à deux battants, très ancienne, avec des incrustations d'ivoire et de nacre, ouvre l'accès à ce paradis. Une lourde pareille, chez n'importe quel antiquaire du boulevard Saint-Germain, tu la casques un saladier !

— Tu rentres pas ? me demande le chauffeur, surpris de me voir rester debout près de son bahut.

— Non, j'admire seulement.

— Et tu payes la course juste pour admirer ?

— Je suis journaliste et je dois écrire un livre sur les plus belles maisons de Marrakech, je commence par un tour d'horizon.

Je m'éloigne de quelques pas, histoire de fuir sa curiosité. Et c'est alors qu'une voix masculine s'écrie :

— Hep ! San-Antonio !

J'avise, au volant d'une Morgan rouge dont le modèle a cinquante ans, Albert Nécreux, un comédien spécialisé dans les rôles de dégueulasse, à cause de sa frime pas recommandable.

Le monde est petit ! comme dit ta concierge.

Je m'approche de lui, sans enthousiasme excessif. Rien de plus chiant que de rencontrer des importuns.

— Salut, Nécreux, ça boume ?

Il m'en presse un paquet et rigole :

— Rectification, commissaire. Je ne m'appelle plus Nécreux, car j'ai pris un nom de théâtre.

— Tu te nommes comment, aux dernières nouvelles ?

— Noubly.

— Et ça change quelque chose à ta carrière ?

— Tout. Jean Noubly. Ma cote grimpe.

— A cause ?

— Je faisais partie des obscurs. Mon blaze n'était jamais cité dans les interviews de vedettes ou de metteurs en scène. Or, vous l'aurez remarqué, chaque fois que ceux-ci parlent de la distribution, ils disent, immanquablement : « En dehors de moi, il y a Depardieu, Sophie Marceau, Galabru et j'en oublie. Ce qui fait que, désormais, j'ai en quelque sorte la vedette américaine. Jean Noubly, c'est moi.

— Superbe, conviens-je.

— Je fais jouer le vide à mon profit ; je suis devenu la mémoire défaillante de mes illustres confrères. C'est indiscret de vous demander ce que vous faites devant cette somptueuse propriété ? Vous vous portez acheteur ?

— Mon livret de Caisse d'Epargne n'est pas suffisamment gonflé pour ça.

— Alors, boulot ?

— Vacances ! J'admire… Et toi ?

— J'habite chez une amie.

Il cligne de l'œil.

— Une dame veuve et bourrée d'osier. Ah ! certes faut pas compter ses heures de vol et elle a fait des tas d'atterrissages sur le ventre, mais sa crèche ressemble à celle-là et sa table à celle de Bocuse. Elle fait partie du Tout-Marrakech. Le roi la reçoit, ainsi que le maire, les notables, les grossiums, les célébrités en vacances. Elle connaît même le gros sac qui habite ici.

Il me désigne la crèche de rêve.

Comme il est disert, il enchaîne :

— Elle fait un monstre raout, ce soir, venez, je vous invite. Vous avez un smoking ?

— Bien sûr, ments-je précipitamment.

— Alors soyez à neuf heures à la propriété qui se nomme « Les Confins », en direction de Ouarzazate ; d'ac ?

— Volontiers, mais à une condition : tu ne dis à personne que j'appartiens à la Poule ; ça jetterait un froid.

— Promis juré, j'ai pas envie de me déconsidérer !

Il décarre dans un vombrissement forcené.

Moi, je cherche ma bonne étoile, au ciel ; un peu désorienté parce qu'il fait un jour d'une folle luminosité. Tu ne trouves pas que ça n'arrive qu'à moi ce genre de mésaventure ?

Je passe par le bar de la Mamounia et j'y trouve Lambert et Slim son pilote attablés devant des doubles whiskies.

— Où étais-tu ? me demande Alain, car ça y est, c'est fait, on se tutoie à la vie à la mort dorénavant.

— Opération de reconnaissance, lâché-je.

— Que prends-tu ?

— Un hélicoptère, dis-je, en état second.

Je me tourne vers Slim.

— Vous pilotez également les hélicos, je parie ?

— Et aussi les hydravions.

— *Bueno*. Il faudrait en louer un pour une heure, vous pouvez arranger ça ?

— *No problem,* assure-t-il.

— Occupez-vous-en, vieux. Dès que vous serez à même de me faire survoler Marrakech, prévenez-moi.

Il siffle son gorgeon et se dresse. Lambert, l'air du Maroc semble le doper. Dans son cas, l'action est le meilleur des remèdes. Rien de pire que d'attendre, prostré, auprès d'un téléphone.

— J'aurai besoin d'un bon appareil photographique muni d'un téléobjectif puissant.

— Allons acheter ça.

Il y a des magasins surchoix à la Mamounia. J'emplette un Nikon avec ses accessoires et retourne au bar me familiariser avec son fonctionnement. Bérurier s'y trouve en compagnie de son fils et d'une bouteille de champagne rosé dont les premières coupes le font feuler comme tout le Bengale. Exceptionnellement, son chiare se tient coi et je le trouve tout dodelineur.

— Il paraît pas très en forme, Apollon-Jules, m'inquiété-je.

Sa Majesté pouffe de rire.

— Lui ? Il fait l'boa, moui ! Si tu saurais tout c'qu'il a clapé, le monstre ! Six pots Neslé av'c un hamburgère mélangé. Plus un grand biberon de vin

sucré et une portion d'tarte aux pommes. Il a d'qui
tenir ! J'te prédis qu'y va deviendre un giant !

— Tu ne crois pas que son alimentation devrait
être plus conforme aux principes nutritifs prônés par
les pédiatres ?

Le Rugueux se remplit une nouvelle coupe.

— Les pédiatres, mec, j'me les carre dans l'oigne.
Chez les Bérurier on a toujours su élever ses enfants
sans ordonnance et, conclusion, de père en fils, on
sera été les plus forts av'c la plus grosse bite du
canton. Tu l'as déjà vu, son croquignol, au p'tit
prince ? J'sais des officiers d'carrière qui pleureraient
d'la comparaison.

Sa certitude heureuse est communicative. Je ne
doute plus que la puériculture béruréenne soit la
bonne.

Je lui ai donné un plan de Marrakech, à Slim, sur
lequel j'ai coché d'une croix la demeure du dénommé
Kazaldi. J'explique au pilote ce que j'attends de lui :
qu'il me permette de photographier du ciel, à basse
altitude, la fastueuse propriété du potentat, sans
toutefois donner au personnage l'impression que
nous sommes à sa verticale pour lui seul. Il est
fréquent, de nos jours, que des photographes pren-
nent des vues aériennes des belles propriétés d'un
coin résidentiel. Pour cela, ils survolent la zone en
question et la ratissent méthodiquement avec leurs
téléobjectifs. Il faut donc que Slim procède comme
ces professionnels.

On décolle, et parvenu dans la région fatidique,
l'ami Slim se met à opérer dans le sens est-ouest, avec
régularité. Au loin, je retapisse le petit palais de
Kazaldi à travers la bulle de plexiglas. Nous en
approchons progressivement. Bientôt je distingue la
configuration de la propriété, laquelle est construite

autour d'un merveilleux patio et d'un jardin intérieur dont la végétation ferait mouiller un producteur hollywoodien.

Je suis en batterie, le zoom paré, le tube lance-torpilles du téléobjectif braqué. J'ai jamais été un crack en matière de photographie et tu sais depuis lurette mon aversion pour les touristes konkodak qui passent leurs vacances avec un œil fermé et l'autre collé à un viseur, cependant mon désir de capter cette magnifique crèche est si vif que me voilà super-doué par volonté extrême, tripotant les molettes de réglage, les bistougnets, les clapets de vidange, tout ce circus avec lequel jonglent mes potées de la presse photographique.

— On y est ! m'annonce Slim.

— Je sais.

Il quadrille le coinceteau avec application. Et ma pomme, j'y vais plein cadre ! Clic, clic, clic ! Ne cherche pas à repérer pour mon compte. C'est à l'appareil de jouer. Tu ne peux pas mener à bien deux choses simultanément. Mon Nikon (pas plus nikon que toi, d'ailleurs) bouffe à pleines dents le panorama. Clic ! clic ! clic ! Je flashe à tout berzingue. Une série à gauche, une autre à droite. Merde, ai-je fait gaffe au soleil ? Ne risqué-je pas d'avoir des images surexposées ? Le mahomed y va à fond la caisse dans ce magnifique patelin. Il est si intense que même ton trou de balle bronzerait à l'intérieur de ton bermuda.

Ça y est, nous sommes passés. Slim, obéissant à mes instructions, continue sa manœuvre systématique pour endormir les éventuels soupçons de Kazaldi.

Et puis bon, après un quart d'heure de frime, on retourne se poser. Maintenant, va falloir développer mon rouleau de pelloche. Je musarde dans le centre

ville à la recherche d'un photographe. J'avise
une boutique sans histoire à côté d'une brasse-
rie et, me fiant à mon instinct, j'y pénètre. Un
vieux mecton est assis derrière un comptoir
tapissé de photos représentant la chaîne de
l'Atlas en continu. Il est tout gris et archiridé,
ce bonhomme, avec une abondante crinière d'un
blanc sale de loulou de Poméranie négligé. Des
lunettes en demi-lunes sont posées au bout de
son pif poilu comme une chatte de chaisière. Il
me demande avec un accent très marqué (arabe
ou juif) ce que je désire.

Je sors de ma poche le rouleau jaune.

— Vous est-il possible de développer ça
immédiatement? Je suis journaliste à *Connaissance des Arts* et je dois envoyer un article sur
les plus belles demeures de Marrakech. Il est
indispensable que j'aie la photo pour écrire le
texte qui la concerne. Bien entendu, je vous
défraierais en conséquence. C'est du noir et
blanc, donc, y a pas de problèmes.

Qu'ajouter d'autre?

Il tend la main, empare le rouleau et appelle
sa femme pour qu'elle garde la caisse et me
surveille tandis qu'il opérera.

Dans la chambre de Lambert, j'étale mes
photos agrandies. Y en a partout sur la
moquette. Faut se mettre à genoux pour les
examiner. Quelques-unes, comme je le pré-
voyais, sont surexposées, mais dans l'ensemble
ma prestation n'est pas mauvaise. On domine
bien les lieux. Ce qui frappe, c'est qu'on ne
voit âme qui vive. Pourtant, doit y avoir du
trèpe dans cette casba. Béru m'en fait la
réflexion.

— A cause du bruit de l'hélico, expliqué-je, les occupants se sont planqués.

— Si y s'sont planqués, c'est pour pas s'montrer, commente l'expert ; si y veuillent pas s'montrer, c'est qu'ils tiennent pas à c'qu'on les voye !

Alain soupire :

— Et dire que ma chère Alice se trouve peut-être là.

Et à moi, d'un ton où l'espoir le dispute à la détresse, comme l'a écrit la comtesse de Paris dans son célèbre livre intitulé *Un Doigt de Cour :*

— Ton impression de flic ?

Miroska, vous êtes avec moi ? Je me concentre à mort. C'est comme si je tenais un câble électrique à haute tension. Faut que ça passe ou que ça casse ! S'agit plus de police mais d'occultisme. Je fais appel à des forces surnaturelles, tel que tu me vois. Je puise à mort dans mon subconscient. Je regarde cette vue générale du palais de Kazaldi. Alice s'y trouve-t-elle oui ou merde ?

Ça craque dans ma caboche. J'ai le cervelet comme trois plaques de chouinegomme mâchées. Ça s'étire. Vite, j'en fais une boulette compacte. Alors ? Elle y est oui ou merde ? Je reste à l'écoute de l'infini. Mets toute la sauce. S'agit pas de balancer n'importe quoi pour faire plaisir à Lambert.

Elle y est, Alice ? Hein ? Seigneur, inspirez-moi ! Inspirez ! Inspirez !

Je ferme les châsses. Que, juste au paroxysme de ma concentrance, l'organe paisible de Béru s'élève :

— M'sieur Lambert, vot' môme aurait-elle-t-elle un bracelet que ça représente un serpent ?

Alain Lambert, qui me scrutait à s'en disloquer les sphincters, tressaille.

— Un bracelet... Non... Heu, si, oui : pas exacte-

ment un bracelet mais une montre de chez Bulgari
que je lui ai offerte au dernier Noël ; en effet, cela a
la forme d'un serpent.

Le père d'Apollon-Jules paraît satisfait.

— Alors, *no* problèmes : elle est bien là.

Il se tient devant la fenêtre, l'une des photos entre
ses doigts.

— Venez mater ici, les gars. J'croye qu't'as une
loupe après ton couteau suisse, l'Antoine, c'est
l'moment d'la dégainer.

Nous l'encadrons, cœur battant, z'yeux en folie.

— V'voiliez c'te fenêt', à l'ang' du jardin ? Y a des
barreaux. Z'y êt' ?

— Vououiiii, répondons-nous.

— C'est dans l'omb', on distingue pas lerche. Mais
r'gardez attentionnement le barreau qu'est là, le plus
dans l'omb'... Y paraît plus gros qu'les aut', d'ac ?
C'est à cause de parce qu'un bras est plaqué cont'.
Quéqu'un est accoudé de l'intérieur et tient l'barreau. Le poignet de la quelqu'unte est tourné déhors.
Et on voye un brac'let. Y fait plusieurs fois l'tour du
poignet. Ai-je la berlue ?

Armé de ma loupe je vérifie le bien-fondé de son
observation.

— C'est VRAI ! écrié-je.

Alain Lambert de Ploquesibuche se signe (en un
exemplaire) car, dans ces cas extravagants, première
chose à faire : remercier le Seigneur. Puis il se saisit
de la dextre béruréenne.

— Bérurier ! balbutie-t-il. O Bérurier...

— Mettez-vous pas la queue en trompette pour si
peu, riposte le Gros : j'ai un œil de larynx, Sana vous
confirmera. Mon acuitance visuelle est si forte qu'on
voulait me corporer dans la marine, mais av'c le
chibre qu'je m'colporte, y z'ont craint que j'éclate

le fignedé des copains ent' les escalades à terre.

Comme son chiare commence à clamer, il va lui préparer un biberon de porto additionné d'un jaune d'œuf.

LOVE STORY

Le soir tombait. Une lumière rasante illuminait l'appartement d'Alice. Clarté mauve, mêlée de traînées pourpres. Des parfums exaltés arrivaient du jardin. Elle avait remarqué qu'à la tombée du jour, des jets d'arrosage disséminés dans ce dernier entraient en action et que les végétaux, sous l'effet de l'eau, se mettaient à sentir avec plus d'intensité.

Les oiseaux de la volière, calmés par la pénombre, se taisaient ; mais les pigeons blancs de l'extérieur continuaient de battre l'air immobile de leurs ailes blanches, s'élançant de toit en toit pour se pavaner sur les tuiles et faire compliment aux femelles.

Sentant une présence derrière elle, Alice se retourna. « Il » était là, dans l'encadrement de la porte que sa masse obstruait entièrement. Il portait un smoking blanc. Des brillants servaient de boutons à sa chemise. Son étrange regard la bouleversait. L'iris de ses yeux sombres s'auréolait d'un mince cercle bleu. Elle lui sourit et il osa s'avancer dans la pièce d'une démarche roulée d'obèse empêtré dans ses graisses. Lorsqu'il fut près d'elle, il lui saisit la main et la porta à ses lèvres.

Puis il chuchota de sa voix soyeuse d'Oriental :

— Toute ma vie pour cet instant.

Elle lui laissa sa main qu'il baisa de nouveau avec ferveur.

— J'avais toujours rêvé d'absolu, d'infini, fit Kazaldi. Et voici que j'atteins les rivages du rêve.

Il s'assit près d'elle sur le canapé. Alice posa sa joue contre un revers de smoking. Et ils restèrent longuement dans cette tendre posture.

— Vous sortez ? murmura-t-elle après une période de félicité silencieuse.

— Une soirée chez une vieille folle d'ici. Je ne pouvais décliner l'invitation car elle possède des affaires qui sont proches des miennes. Me permettez-vous de passer vous voir en rentrant, je veillerai à ne pas m'attarder ?

— J'y compte bien.

— Même si cela doit vous réveiller ?

— Je ne dormirai pas avant votre retour, promit Alice.

PAF!

Couché dans le lit paternel, Apollon-Jules pue comme une pompe à merde suractivée.

— Tu voudrais-t-il m'l'langer ? demande le Gros, attablé devant un couscous servi « en chambre ».

— Sans façon, réponds-je en montrant mon smok made in Paris immaculé, acheté voici une heure chez un bon faiseur de la ville. Si je me mets à tripoter ton tas de merde, en arrivant chez mon hôtesse je ressemblerai à un mur de chiotte.

Le Mastar engloutit d'une goulée cinq cent cinquante grammes de semoule, plus une merguez en ordre de marche.

— Y a des moments, t'es pas serviab', mec. J'm' demande de qui est-ce tu tiens quand j' vois ta mère si tant tellement dévouée les uns les autres... Une sainte !

— Les saintes ne font pas fatalement des saints, j'objecte.

— J'm'en aperçoive, ronchonne la Masse. T'es l'bon gars, mais sujet à potion, par instants. Suffit qu'tu te saboules en plaie-bois pour chichiter seizième !

Il se verse à boire. Un picratos rouge comme du sang de bœuf et aussi épais que de la gelée de groseille.

— C'est ta seconde boutanche ! lui fais-je remarquer.

— Mercille du renseignement, rétorque le Ténor des bistrots, la pépie vient en mangeant.

— J'aimerais que tu restes lucide pour l'opération de ce soir.

— Fais-toi pas d'mouron, l'artiss, j'ai un' cylindrée qui m'permet d'en massacrer un escadron avant d't' voir doub' ; déjà qu'en un exemplaire tu suffis à mon bonheur !

— Très bien, alors à tout à l'heure, comme convenu.

Je passe dans l'appartement d'Alain. Lambert est en contemplation devant la photo sur laquelle nous croyons distinguer le poignet de sa fille. Elle l'hypnotise.

— J'y vais, lui dis-je. Es-tu bien certain de vouloir participer à notre coup de main ?

— Je ne pense qu'à ça. Et Slim aussi veut en être.

— Tu sais que s'il y a une couille, on se retrouvera tous au gnouf ?

— Que m'importe. Antoine ?...

Il respire profondément, abaisse ses paupières un instant, et quand il remonte ses stores, deux larmes dégoulinent sur ses joues.

— Tu sais, fais-je, j'ai longtemps balancé sur la conduite à tenir. Evidemment, on pouvait aller raconter l'histoire à mes collègues d'ici ; mais ce Kazaldi est un personnage puissant, considéré ; j'ai craint que trop de préambules policiers ne lui permettent d'évacuer la petite en douce, si toutefois il la séquestre comme nous le pensons.

— Tu agis pour le mieux, tranche Lambert. Je te fais confiance.

Faut reconnaître que c'est la vraie fiesta mondaine sous les étoiles. Un immense chapiteau est dressé au centre d'un encore plus immense jardin, comme l'écrit Mme Tas-de-Chair dans ses Mémoires. Des projecteurs jaunes et roses mettent en valeur ce qui mérite de l'être : la façade de la maison, les palmiers, les buissons d'écrevissiers en fleurs, les rosiers en arceaux et tout le bordel. A l'écart, ombreuse à souhait, une piste de danse avec, sur un petit podium, quatre musiciens en smokinges qui moulinent des trucs mouillants, propices à l'enlacement (mais on ne s'en lasse pas).

Mon pote Jean Noubly chique les maîtres de cérémonie. Il est actif gracieux. Un élément sûr pour sa rombiasse. En admettant qu'il la tire convenablement, ce que je crois, la dadame doit tenir à lui.

Il m'accueille avec force tapes dans le châssis. « Et comme c'est chouette à vous d'avoir tenu parole », nani nanère... S'empresse de me présenter à son brancard.

Quand il dit qu'elle ne compte plus les heures de vol, Mémère, il est poète ! On se demande, à mater cette flétrissure amidonnée, si elle mérite encore une ultime réfection. Le moment arrive où, à force de ravaudages, la machine est complètement naze. Médème, elle doit escalader ses septante-cinq ans comme une grande. Combien de fois la lui a-t-on retendue, la peau, à cette chérie ? A la longue, elle est usée. On devine que ça craque, qu'elle devient poreuse et qu'elle est à la merci d'un éternuement ou d'une vilaine bronchite qui la ferait tousser trop fort. Elle risque de voler en éclats, Bichette ! Y a des zones luisantes, par larges plaques, à son front, sur ses joues, ailleurs, partout ! Et puis des points critiques où ça fripe envers et contre tout. Le cou, surtout, et autour des yeux. Elle devrait pas se décolleter ainsi, ni avoir les bras nus. Ça pendouille cruel entre le coude et l'épaule. Tu croirais une serpillière trempée qu'on soulèverait avec un bâton. Question poitrine, alors là, c'est le tombeau du Soldat Inconnu, mon frère ! Waterloo morne plaine… Des creux, des plissures, des cratères lunaires. Faut pas s'attarder dessus sinon la gerbe t'empare. T'es obligé de penser à autre chose, à n'importe quoi de radieux : le coucher de soleil sur l'Atlas, Canuet à la tribune, les petits Chanteurs à la Croix de Bois, un bouquet de pâquerettes, pour t'arracher les angoisses, refouler les évidences.

Jean me présente journaliste. La vieillarde met son râtelier sur le *drive* et me dit qu'elle est charmée et que je suis beau.

Des frissons m'en goulinent des testicules aux chaussettes ! Je dégoise quelques compliments usagers et mets le cap sur le fastueux buffet, escorté par mon pote.

— Merde, je lui dis, comment fais-tu pour t'embourber ce charnier ! Dis-moi à quoi tu penses pendant que tu calces ce fantôme, ça doit être gigantesque comme stimulant. T'es en état d'apesanteur ou quoi ?

Il hausse les épaules.

— Pour moi, c'est Notre-Dame du Bon Secours, commissaire. Ses largesses méritent un effort.

— Un effort ! T'as des mots simples, Jeannot. Un vocabulaire de pygmée. Moi, j'appelle ça de l'héroïsme. Le député Baudouin qu'est allé se faire zinguer sur les barricades pour quarante sous, c'était le plus poltron des rats malades en comparaison.

Il rit jaune. Et puis il me murmure à la sournoise :

— Faut-il vous présenter à M. Kazaldi, ou bien le connaissez-vous déjà ?

Je cabre :

— Pourquoi cette question ?

Il ricane.

— Barbiquet peut-être, mais con, sûrement pas, commissaire…

— Laisse tomber mon titre, tu veux ?

— O.K.

Et d'expliquer :

— Je vous aperçois en train de draguer autour de sa chaumière et quand je vous invite après vous avoir annoncé qu'il sera de la soirée, vous acceptez d'emblée. Or, vous avez horreur des mondanités, tout le monde le sait.

A son tour de goguenarder. Il roule à tombeau ouvert, le Castor ! Je lui saisis le bras.

— Fais quelque chose pour l'humanité en détresse, Jean : oublie tout ça. Dans l'intérêt général, tu saisis ?

— Barbiquet, mais vif ! fit Noubly. Tenez, il est là-bas, près de la fontaine, votre « client », avec la fille de ma gagneuse.

Je mate et aperçois, dans des pénombres velou-tées, une masse de viande enveloppée dans un emballage en forme de smoking. Il porte des tas de diams partout qui chahutent les reflets ambiants comme autant de gyrophares. Il tient un verre de scotch et fait la causette à une poupée peinte, tout ce qu'il y a de jolie et de putassière. Tu la prendrais pour une pute à grand spectacle. Elle porte une jupette de cuir noir ras-les-miches, une espèce de casaque longue en paillettes brillantes décolletée jusqu'au nombril. Très simple : elle est nu-pieds. Elle a les cheveux rasibus, façon la pauvre chère Jeanne d'Arc (de triomphe) telle qu'elle est repré-sentée parfois à l'écran. Par contre, j'ai pas connu la Pucelle Vénérée de Dom Rémy les Chevreuses, mais je doute qu'elle eût été maquillée. Même les sta-tueurs de Saint-Sulpice ont jamais osé peinturlurer la

noble sainte à ce point : ils se seraient fait excommu-
nier à coups de pompe dans le culte ! Nonobstant,
c'est un beau brin de femelle, carrossée par Bertone,
altière, vivace, bonne à prendre en passant.

— Dis donc, murmuré-je, t'es sûr que t'es là pour
la maman, Jeannot ? Tu nous ferais pas un doublé,
des fois, queutard comme je te sais ? Je parie que tu
cartonnes les deux.

— Très épisodiquement, m'assure Jean Noubly, la
fifille est nympho et attrape les bites qui passent
comme des écoliers désœuvrés attrapent des
mouches ou des heures de colle ! Venez, je vais vous
présenter et je vous parie mille balles qu'avec votre
physique de Casanova, elle vous vide les burnes en
deux coups les gros.

On s'avance vers le couple en discussion. Jean fait
une fois de plus les présentances. Je suis toujours
journaliste, j'appartiens à la rédaction de *L'Evéne-
ment du Jeudi*.

La môme me braque de son regard ratisseur.
Poum, ferrée ! Des chandelles s'allument dans ses
prunelles. Mon pote a raison : voilà de la cliente
sérieuse, parée pour les manœuvres les plus auda-
cieuses. Avec Césarine, tu hisses le grand froc
d'emblée. Visiteuse de braguettes, la Miss ! Elle
entre dans un futal comme chez elle !

On se serre la louche et déjà elle replie son médius
au creux de ma main, bien me signifier que ma grosse
bitoune est programmée d'office et que je participe-
rai au prochain tirage.

Ensuite, je presse l'énorme pattoune molle de
Kazaldi. Ça me fait un effet étrange. Je m'efforce
d'être bref, de ne pas le regarder outre mesure. Juste
le « ravi » banal, bateau, habituel. « Ravi » ! Tu sais
ce que ça signifie, toi, ravi ? Ça veut dire
« enchanté ». Tu parles d'un enchantement, ces

gonziers qui te défilent dans l'existence. Ces gueules de raie, de con, de vache ! Ravi !

« Permettez-moi de vous présenter... »

« Ravi. »

« Le commandant, Macheprot, le docteur Chmeurgue... »

« Ravi ! »

« Ravi ! »

Si tant tellement ravi, faudrait pousser des cris de liesse ! S'embrasser, se sodomiser ! « Ravi ! Ravi ! » Des têtes de nœuds pas regardables, pas racontables. Des gueules en coin de rue sinistrées ! Des faciès de vieux requin malade ! Des frimes de rat à dégobiller son quatre heures sur leurs godasses. Tu les chierais si t'osais. Mais non, penses-tu. T'arbores ton sourire le plus somptueux. Tes zygomatiques se conjuguent pour le ravissement suprême. Tu mouilles dans tes guenilles, tu suintes de partout.

Ravi ! Oh ! la la ! ce que je suis totalement extrêmement et pour toujours ravi de vous faire la connaissance, bougre de crabe verdâtre ! Mon jour de gloire enfin arrivé ! N'ai-je donc tant vécu que pour cette poussée d'adrénaline ? Putain, ce que je suis ravi de toucher ta patte froide et fripée, vieux saurien ! Montre-moi comme tu es beau, superbe, étincelant de grâce et d'intelligence, espèce de lavement ! Quel pied de te rencontrer, saucisse ! C'est somptueux de contempler ta bouille en crevaison, avec ce regard fumier, ce sourire réjouissant comme des hémorroïdes au bord de l'éclatement, cette expression si funeste sous le sourire de commande. Ravi ! Ce que je te flanquerais une fourche dans le ventre après l'avoir arrachée d'un tas de fumier moins malodorant que toi, vérolé !

Ravi, président Locdu. Ravi, colonel Monzob ! Ravi, docteur Mabuse ! Ravi, Excellence ! Excellence ! De quoi se poignarder le cul avec une brochette à chich-kébab. Excellence ! Des fientes, des pets ! Qui, en ce monde de déjections peut se prévaloir d'un tel titre ? Un jour, pourtant, on me l'a donné. C'était en Iran, à Ispahan. L'hôtel je ne sais plus quoi. J'avais réservé. C'était au temps ou le greffier régnait. Je me pointe à la réception :

« — San-Antonio, j'ai retenu. »

« — Mes respects, Excellence.

Je me suis retourné. Y avait personne. C'était moi, l'Excellence !

J'ai dit au pingouin :

« — Ecoute, Albert, appelle-moi Ducon, je préfère. »

Il a pas compris. Depuis, il a eu l'Ayolie Comédie, il a dû comprendre. Et demain, ce sera les Popofs, alors là tout lui paraîtra limpide. La vie va, quoi, faut s'adapter.

Et donc, bon, voilà que selon ma mauvaise habitude, je viens de t'en tortiller trente mètres sur le porte-bagages avec mes rébellions de noces et banquets. Ça pisse pas haut, ça ne mène pas loin, seulement ça soulage un peu. C't' un comprimé d'aspirine dans la cuisance perfide du temps. Un grog pour mon rhume chronique. Un pet pour mes ballonnements. Pas très biblique, je sais. Où est l'importance ? T'es d'accord, que ça n'en comporte pas la trace d'une ? Con ou génie, gros ou maigre, *Pensées* de Pascal ou *Almanach Vermot,* c'est tout bon, tout rien, tout pour le néant. Tu balaies jusqu'à la bouche d'ombre, tu balances tout dedans : les détritus, le balai et toi pour finir. Terminé ! Au suivant ! Servez-nous une autre tournée, monsieur Paul, je suis pas pressé de rentrer : ma femme a ses règles, mon gosse ses devoirs et la télé est en panne.

Mais voilà que je repars, repars encore, toujours.

J'en titube de trop avoir besoin de causer d'autre chose du temps que je te tiens, nous deux. Moi à écrire, toi à lire. Content ? Mécontent ? Je vois pas ta gueule. Mais je t'aime, tu dois me supporter. Rappelle-toi comme on en chie, toi et moi, chacun dans notre coin de chiotte. Frères, quoi ! Que ça te plaise ou non. Caïn et Abel, peut-être ; un peu sûrement, sur les bords. Mais peut-être qu'ils s'aimaient bien, Caïn et Abel ? Peut-être que Caïn a scrafé son frelot avec tendresse ? Qui te dit que ça n'était pas un lien de plus, cet assassinat ?

Kazaldi me visionne avec une politesse teintée d'ennui. Jeannot m'a présentée : M. de Saint-Antoine ». Marrant !

La fille demande :

— Votre famille est originaire d'où ?

— De Padoue, je rate pas de réplique, tu penses !

Elle rigole. Faut dire qu'elle s'appelle Graziella, ça incite.

On s'éloigne, Jean et moi. Puis il me laisse pour aller chambrer de nouveaux arrivants. Les prendre en charge, les convoyer : présentations, buffet. Ravi ! Ravi ! Raviiiiii ! Fume !

Me voici seul parmi la foule.

Tu sais ça que je vais faire, Albert ? Cramponner une coupe de Dom Pérignon et me placarder dans les ténèbres pour observer Kazaldi.

Je saisis donc une flûte aux flancs glacés et j'en joue. Juste comme je m'éloigne, une main se glisse sous mon bras libre : Graziella ! Déjà ! Il se gourait pas, Noubly : c'est de la pétroleuse à effraction !

— Comment trouvez-vous notre propriété, monsieur de Saint-Antoine ?

— De rêve ! réponds-je sans me mouiller.

— Ça vous plairait de la visiter ?

Sa main pressionne mon biceps. Salopiote, va !

Avant de répondre, je mate Kazaldi, pas qu'il m'échappe, le monstre. Il vient de se mettre en grappe avec d'autres personnages à l'aspect important et tous ont pris place à une table, près des palétuviers roses. Comme la soirée débute, je présume qu'il restera ici encore un bon moment.

— Volontiers, ravissante hôtesse.

L'hôtesse se donne de l'air, si j'ose cette navrance. Nous voilà partis, toujours *arm on, arm under*. C'est la visite des salons avec la collection d'hyperréalistes amerloques, LE Magritte tellement magrittien (chapeau melon), les quelques Paul Klee à la traîne sur les murs et le sublime Kandinsky au-dessus de la cheminée moderne.

— Depuis ma chambre, la vue du jardin, de nuit, surtout lorsque nous donnons une soirée, est enchanteresse, promet-elle. Venez !

Ça y est, à l'ouvrage ! Prépare ta bite, forgeron ! Mimiss va m'interpréter la scène du viol par les corsaires.

Elle me grimpe à sa turne (où se trouve le fameux anneau) (1) et se garde de donner la lumière. La pièce n'est éclairée que par les loupiotes extérieures. Ces dernières suffisent à en faire apprécier la délicate élégance. Lit anglais à baldaquin avec des voiles blancs. Fresques peintes à cru sur les murs et représentant, me semble-t-il, des scènes du Paradis terrestre.

Elle m'entraîne jusqu'à la fenêtre cintrée comme des clopinettes. Une jalousie aux lames horizontales nous dissimule aux regards, mais on peut voir en bas avec le bénéfice de la perspective plongeante, et c'est vrai que ça fait un brin Dallas. Fête chez J. R., ce con

---

(1) San-A, naturellement veut parler de l'anneau de Saturne.
La Direction Littéraire.

à tronche de veau pas cuit ! De là, au moins, je peux retapisser l'assemblée. Mon pote Kazaldi est toujours attablé avec des gens qui doivent être aussi riches que lui, mais moins gros. D'ailleurs, plus mahousses, ce serait pas concevable. Tu trouverais peut-être ça dans le *Guiness des records,* à la rigueur, mais à la rubrique cétacés.

— N'est-ce pas merveilleux ? demande Graziella en me flattant le décolleté inférieur d'une main fuligineuse.

— On croit rêver, je lui admets-je.

— Je ne m'en lasse pas, assure la jeune donzelle.

Sa paluchette experte trouve illico la tirette de ma fermeture Eclair et la dégoupille d'un geste imperceptible de grande professionnelle. Le jour où sa vieille aura bouffé tout son blé avec des minets, elle saura sur quoi se rabattre, la belle. Le pain de fesses, elle en aura toujours des fournées en train (ou au train).

Moi, des manœuvres de ce style ne me laissent jamais insensible. Tu parles qu'il se met à caracoler de manière fringante, l'ami Chibroque. Un vrai cheval de cirque empanaché. Elle le fait sortir de son écurie et tombe à genoux devant tant de grâces si généreusement dispensées par la nature.

— Donnez-moi votre mouchoir, murmure-t-elle. C'est pour essuyer mon rouge à lèvres.

Prévoyante jeune fille. Qui entend ménager mes effets à défaut des siens. Qui me donne l'extase sans m'en laisser les inconvénients. Vaillante nymphowoman dont la sensualité ne se départ pas de cette prévoyance des bonnes ménagères. Chère femelle, emportée par la passion, mais qui veut te protéger de ses conséquences ! Combien rares sont les femmes qui pensent à leur rouge à lèvres en pareils instants ? Tant et tant n'en ont rien à cirer de composter tes

fringues de la fatidique estampille rouge, façon Man
Ray. Seul importe leur désir. Après ? Fume ! si je
puis me permettre en l'occurrence. Aussi, que de
gratitude éprouvons-nous pour les rares précaution-
neuses qui songent à « l'après ». Car, emportés par
l'instant, nous aussi, nous nous foutons des conséquences. Rien, dans ces cas de fièvre ardente, ne
nous retient. Les perspectives nous paraissent loin-
taines et conjurables.

Emu par la bienveillance de cette héroïque écré-
meuse, je caresse sa tête presque tondue. Vue ainsi,
on dirait le Grand Meaulnes. Ma bonzesse !

Elle a déjà dépouillé ses lèvres du rouge épais qui
les renforçait. Et la voici, gloussante d'aise, préam-
bulant de la menteuse en un somptueux frétillement
longitudinal. Message reçu cinq sur cinq ! Bravo, la
technique ! Du Fellini !

Encore quelques véroniques somptueuses ! Merci !
impériale fellatrice (ou teuse, ou comme tu voudras,
ou simplement pipeuse, à la bonne franquette).

Le prélude étant enregistré, elle s'attaque à la
symphonie. Belle histoire d'amour, en vérité. Jouez,
hautbois, résonnez bals musettes. L'enchantement.

Moi, poli, car je sens que la mort douce ne tardera
pas à me prendre, de proposer :

— Voulez-vous que nous changions de registre,
sur votre lit ?

Comme sa maman lui a recommandé de ne jamais
parler la bouche pleine, elle me libère un instant le
chinois pour écrier :

— Oh ! non, c'est trop bon comme ça !

Qu'il en soit fait selon son désir. Je suis un homme
sans parties prises !

Ma conscience professionnelle reste cependant en
éveil et, malgré la magistrale félicité qui m'envahit,
comme on disait puis dans les z'œuvres du dix-

huitième, je continue de lorgner en direction de Kazaldi. Alerte ! Il vient de se lever et s'approche de notre hôtesse. Prend-il congé ? Si oui, je vais devoir jouer « brève rencontre » à Graziella. Mais non : la mère nourricière de Jean Noubly fait un signe d'acquiescement et désigne la maison au gros lard. Ce dernier s'y dirige de son allure de gros paquebot entrant dans la rade.

Un instant, l'idée me vient d'interrompre le solo de clarinette de ma bonzesse pour aller m'informer. Ce n'est pas la volupté qui m'y fait renoncer, mais la prudence. Surtout, ne pas faire de vagues.

Alors, poursuis ton enchanteresse manœuvre, fille de rien, fille de tout, fille d'amour ! Eh oui, comme ça ! Parfait.

Exactement ce que je n'osais espérer ! Quelle initiative opportune ! C'est cela le génie : aller à la rencontre du désir d'autrui, le précéder tout en le faisant naître !

Le brouhaha extérieur ne me permet pas de bien percevoir les bruits de la maison, pourtant il me semble entendre le cliquettement du téléphone. C'est donc un coup de grelot que l'immonde obèse est venu donner chez son hôtesse. Je concentre mes baffles.

Ça jacte en arabe dans le hall. Brièvement car Kazaldi réapparaît bientôt dans le jardin et gagne le buffet où il se fait servir une louche de caviar ; c'est sa potée auvergnate à lui.

Graziella force le rythme. Elle moule la romance de mise en train pour attaquer avec tous les cuivres « Gloire Immortelle de nos aïeux ». Que j'en ai les cannes qui parkinsonnent à toute volée, moi. Debout, c'est exquis, mais épuisant.

Je voudrais pas trop carburer. Ça fait glandu, le gazier qui jette l'éponge au premier round. Faut du savoir-vivre en amour. Manière de retarder le

moment de gloire, j'use de subterfuges. Je me pose
des colles (buissonnières). Je me dis : « Le traité de
Westphalie, en quelle année ? » La réponse me vient
presque automatiquement : « 1648 ». Bon, et il a été
signé par qui, ce traité de merde, ce traité de tous les
noms ? La France, certes, l'Allemagne, ça va de soi...
Et puis m'semble qu'il y en avait un troisième :
l'Autriche ? L'Angleterre ? Ah ! ça me revient : la
Suède ! On pense jamais à eux, ces pommes ! Sué-
dois, tu penses, c'est bien pour dire. Je les trouve en
rab, ces peuples savonnettes. Juste dans les films de
Bergman, ils m'intéressent un peu, et aussi à travers
Borg ou Villander, sinon, je t'en fais cadeau. Je me
rappelle d'un soir d'été qui n'en finissait pas, dans
une petite ville du nord de la Suède. Je clapais de
fades nourritures devant une baie vitrée donnant sur
la rue principale. Et dehors y avait des groupes de
jeunes, moches et blafards, qui arpentaient la strasse
pendant des heures. Une rue en pente. Ils la mon-
taient, la redescendaient. Ils se croisaient toujours au
même endroit, échangeaient quelques mots comme
s'ils venaient de se rencontrer pour la première fois.
Ils avaient l'air de monstrueusement se faire chier ; à
tel point que je n'ai pas pu m'empêcher de me
demander à quoi ils servaient. Exactement en ces
termes : à quoi servent-ils ? C'est grave. Y aurait fallu
poser la question à Dieu, mais j'ai pas osé. Et puis,
m'aurait-Il répondu ?

Après le traité de Westphalie, je m'interroge sur la
fin de la guerre de Sécession, mais là je sèche. Peut-
être parce que je suis à bout de résistance ! Allez : en
voiture, Simone ! Tu l'as voulu, tu l'as eu ! On part !

Comment qu'elle déguste, Augustine. Les vraies
nymphos sont toutes pareilles : elles te savoureraient
à la cuiller si elles osaient, à la pipette, façon taste-
vin ! Des cas !

Bon, ensuite, merci bien, mam'zelle. Je lui laisse se refaire une beauté après lui avoir bricolé un palais. Je l'assure de l'ô combien ce fut ineffable. Et que je la recommanderai à mes amis. Que si elle craint pas de se faire sauter les gonds de la mâchoire, je connais un surdimensionné qui l'intéresserait. L'aubaine du siècle. Son zigomar retenu par la Faculté pour, après lui, être exposé dans un bocal (un grand). On déconne, quoi ! Après l'amour, l'homme n'est pas triste : il bavarde.

Et puis je redescends dans la fiesta après un regard par la fenêtre pour m'assurer que Kazaldi est toujours là.

En sortant, je me cogne à Jean Noubly qui rit large comme une tranche de pastèque.

— Alors, commissaire ?

Sa jubilation pétille comme un feu de serments.

— Une surdouée, conviens-je ; le gars qui l'épousera devra faire gaffe à ce que ses amis n'aient pas le SIDA.

M'est avis qu'un canapé de caviar et une nouvelle flûte de Dom Pérignon resserreraient mes écrous.

En allant au buffet, je me trouve nez à nez avec un homme en gandoura blanche et fez que je suis certain de connaître. Où l'ai-je-t-il vu, y a pas longtemps ?

Et ça m'éclate *in the caberlot,* comme disent les Anglais, ces cons, que s'ils font trop les mariolles, le président m'a promis de renoncer au tunnel et de reculer la Grande-Bretagne de cinquante kilomètres du continent.

L'homme que je te cause n'est autre que Karim Harien, né natif de San'A, le domestique de Kazaldi qui m'a reçu à Pantruche.

Il sourit en m'apercevant et m'adresse un signe de tête déférent. Puis gagne la table où se tient son

« maître » et lui tend quelque chose. Ils échangent des mots, me regardent. Voilà, j'ai tout pigé. Tout ! Pour une raison « X », Kazaldi a tiqué sur ma personne. Un détail (le nom de Saint-Antoine, sous lequel m'a présenté mon pote, peut-être ?) l'a induit à vouloir s'assurer de ma personnalité. Il a demandé à la maîtresse de Noubly, qui est également celle de maison, la permission de téléphoner chez lui pour se faire apporter ses lunettes, ou son bandage herniaire, ou un médicament. Il a alors prié son esclave, arrivé de Paris, de rabattre au trot jusqu'ici. Et voilà ! Brûlé, l'Antonio ! C'est dur à gober mais ce sont les impedimenta du métier ! Le grain de sable cher aux auteurs de polars.

Beau joueur, je souris à Kazaldi, vais chercher mon toast de caviar, ma coupe de rouille. Puis, tranquillos, je choisis une table à l'écart pour me finir ma joie de vivre. Sur le plan voluptas, ç'aura au moins été une soirée positive.

Tandis que je mords dans les grains gluants, je vois repartir l'homme natif de San'A ; et revenir Graziella, plus pimpante que jamais. Jean qui me passe à promiscuité, me chuchote en la désignant du menton :

— La voici de nouveau en piste. Il lui en faut au moins trois par soirée !

— Elle est vorace, fais-je. Ça ne se soigne pas, ce genre de maladie ?

Il se marre.

— Sa vieille l'a emmenée chez le plus grand neurologue de New York...

— Et alors ?

— Elle l'a sucé jusqu'à la moelle !

Il s'éloigne en pouffant.

L'obscurité s'étale sur ma table. Panne de lumière ? Non, c'est M. Kazaldi qui vient s'asseoir en face de moi.

Il me contemple aimablement. Ses bajoues flo-
connent par-dessus le col de sa limouille de
smok. Je soutiens ses châsses et ne tarde pas à
leur reconnaître un certain pouvoir hypnotique.
Curieux homme. Réfléchi et intense, avec
d'étranges vibrations intérieures et un je ne sais
quoi de vaguement pathétique qui provient probablement de son obésité. Faut être cinglé ou gravement malade pour s'abandonner ainsi à la
graisse. Y a du fading dans son métabolisme,
Prosper !

— Vous avez l'air d'aimer le caviar ? attaque-t-
il de sa voix onctueuse.

— Moins que vous qui le mangez à la louche
et sur pommes de terre, je revirgule.

— Vous connaissez mes petits caprices ?

— Et je devine les grands, monsieur Kazaldi.

Doubles sourires de cinéma. Tu sais, au saloon,
le cow-bois et le forban, face à face, qui échangent des propos badins, la main à dix centimètres
du Colt ? Eh bien, ça ! En plus tendu. Poil au
bras !

— Je suppose que vous êtes ici pour moi ? il
s'enhardit.

— Vous venez de gagner cent dirhams, plai-
santé-je. Vous continuez ?

Il fait la moue.

— Je n'aime pas le jeu. C'est rare pour un
Levantin, n'est-ce pas, commissaire ?

— Ou alors vous jouez carrément très gros ?

— Même pas.

Il réfléchit et laisse tomber rêveusement :

— Vous savez que nous sommes au Maroc ?

— Oui, pourquoi ?

— Parce que, ici, un policier français est un
touriste comme un autre.

— Il ne manquerait plus qu'il en soit autrement !

— Il peut contempler ma maison, la survoler au besoin en hélicoptère, mais... c'est tout !

— C'est déjà beaucoup, monsieur Kazaldi.

— Peut-être... Mais c'est tout !

Son ton s'est durci, son regard est devenu livide comme l'éclat d'un sabre dans la lumière.

Machinalement, j'achève de grignoter mon toast.

— Puisque vous n'êtes pas joueur, nous pourrions mettre les cartes sur la table ? suggéré-je.

— C'est-à-dire ?

— Au Maroc comme ailleurs, un rapt est un crime monstrueux et punissable.

Il sourit.

— Vous connaissez la définition du mot « rapt », je suppose ? Dans vos fonctions c'est obligatoire et de plus vous devez être un garçon cultivé.

— Je la connais.

— Ça vous ennuierait de l'énoncer ?

Je récite :

— Un rapt est un enlèvement par violence.

Kazaldi se lève et défroisse sa veste.

— Exactement. Ne perdez jamais ça de vue, commissaire.

Il regarde sa montre en brillants.

— Je crois que je peux me permettre de me retirer ; mon temps de présence ici est suffisant. Au plaisir de vous revoir, commissaire San-Antonio.

Le paquebot tangue dans la houle des invités. Je vois Kazaldi s'approcher de la maîtresse de Machin. Baise-main.

Graziella est en converse avec un costaud dont les biscotos font craquer le smoking aux entournures. Ça carbure bien. Dans moins de jouge elle l'aura en bouche, le Tarzan mondain.

Je vide ma coupe et me lève. La vie est coinçante

par moments, un peu couleur de bile dégueulée si tu vois ce que je veux dire ?

En passant près de Graziella, je marque un temps d'arrêt.

— A bientôt, merveilleuse hôtesse. Soyez gentille : lorsque vous aurez fini de vider les bourses de ce grand veau, dites à Mme votre mère combien j'ai passé une soirée mémorable !

Et de la route !

Plus de Kazaldi aux environs.

Je me rapatrie dans mon os de louage et fonce jusqu'à son domicile, espérant y parvenir à temps pour annuler l'opération prévue. Mais le Gros Sac a roulé fort et quand je me pointe, mon commando d'élite est déjà à pied d'œuvre.

Bois un coup, je te raconte.

Ça s'est déroulé de la façon ci-jointe. Au moment où la grosse BMW de Kazaldi a débouché de l'avenue, une voiture drivée par Slim, notre pilote d'avion-hélico-bolides-en-tout-genre, l'a emplâtrée superbe par l'avant. Béru et Alain Lambert qui se tenaient prêts à l'intérieur d'une autre tire en stationnement, ont jailli et se sont précipités à l'arrière de la BMW.

Sa Majesté appuie le canon d'un bidule de 9 mm sur l'énorme nuque du pashaderme au moment où je me pointe à mon tour, avec quelques effractions de seconde de retard.

Moi, c'est sur le siège avant, à la place passager, que je me pose.

L'instant qui suit est beau comme le *Requiem* de Mozart. C'est d'une félicité rare. Y a presque du recueillement dans l'habitacle de la grosse chignole.

Sur l'avenue déserte, Slim manœuvre pour ranger sa propre guinde froissée devant celle qu'il vient de

télescoper, la bloquant de son pare-chocs arrière.
Ensuite il descend, suberbe dans son blouson de cuir
noir, et allume une cigarette, comme dans la pub du
cinoche, quand les cow-boys de Marlboro en grillent
une dès qu'ils viennent d'entraver le bourrin sauvage
qui galopait dans les montagnes Rocheuses embra-
sées par le couchant.

Il s'assied sur le capot, devant Kazaldi, bien
montrer à ce tas de lard rance qu'il est neutralisé urbi
et orbi.

Kazaldi, après un instant de panique, s'est rassé-
réné en m'apercevant.

— Tout ça pour en arriver à quoi, commissaire ?
demande-t-il.

Certes, après notre converse chez les dames
pineuses, ce coup de main tombe à plat, mais le
bougre m'ayant pris de vitesse, je n'ai pas eu
l'opportunité de le décommander.

Je désigne sa vaste demeure aux murs immaculés
qu'éclairent des lampadaires.

— Alice Lambert se trouve ici ! assuré-je.

— Et alors ?

— Misérable ! gronde Alain en le saisissant par les
cheveux, au risque de se foutre de l'huile d'olive
plein les doigts.

— C'est le papa ! expliqué-je à Kazaldi.

— Je l'ai reconnu, déclare froidement celui-ci.

— Il vient récupérer sa grande fille, normal, non ?

— Non, répond le poussah.

— Quoi ! fait Lambert, le lâchant de saisissement,
si je puis m'exprimer ainsi, et je voudrais bien voir
qui m'en empêcherait, merde ! Je suis chez moi,
non ?

En fait, il n'a pas prononcé « quoi », mais plutôt
un monstre râlement, dans le genre de
« kkkquouaaaa ».

Kazaldi, de sa voix de loukoum, murmure :

— Mlle Lambert se trouvant majeure n'est plus sous tutelle parentale. Elle a parfaitement le droit de vivre avec qui elle veut, où elle veut ! Je vous conseille, monsieur Lambert, d'aller exposer votre problème à la police de Marrakech, laquelle pourra constater que votre fille vit ici de son plein gré et en toute connaissance de cause.

— Pourquoi la police ? objecté-je. Son père ne peut-il vérifier la chose par lui-même, avec nous comme témoins ?

Kazaldi réfléchit.

— Certes. Pourtant je crains qu'une arrivée tapageuse, en pleine nuit, ne perturbe Alice.

— Je vous interdis de l'appeler Alice, bougre d'infâme porc ! tonne Alain.

Et de balancer un chtard dans la tempe de Kazaldi.

— Vous perdez votre sang-froid, soupire le Levantin. Comment voulez-vous que je l'appelle puisque tel est le nom que vous lui avez donné ? Nous comptons nous marier, je vous préviens.

Lambert reste béant, puis il saisit sa pauvre tête dans ses non moins pauvres mains.

— Vous l'entendez ? Ce monstre de foire, épouser ma petite Alice, si fine, si belle !

— Elle est merveilleuse, en effet, dit Kazaldi d'un ton noyé.

Je perçois dans sa voix un tel accent de sincérité que j'en suis frappé. Ma parole, il est amoureux pour de bon, l'obèse (moi en levrette).

La scène est tellement tendue qu'un coup d'épingle la ferait exploser.

C'est Béru qui le donne.

— Ecoute, gros tas, tes grands mots poétals et sentimentiques, j'en ai rien à branler ; on veut la gosse à m'sieur Lambert et pointe à la ligne ! Si tu raclais (1), c's'rait tant pire pour ta sale gueule.

Kazaldi sourit.

— Vous n'allez pas me faire croire que des policiers français se comporteraient comme des malfrats en terre étrangère !

Bérurier me regarde.

— Tu crois qu'y doute pou'd'bon ?

— Il me semble bien, Béru.

— Tu crois qui croive qu'j'plaisante ?

— Ça m'en a l'air.

Mon pote a un grand soupir pareil à un hennissement.

— J'détesse qu'on m'croive pas, surtout quand t'est-ce j'sus sincère.

Il descend de la tire, la contourne et va ouvrir la portière de Kazaldi.

— Si m'sieur Sac-à-Merde voudrerait s'donner la peine de descend'.

Mais Kazaldi, interdit, ne bronche pas.

— Allez-y, lui conseillé-je, c'est un obstiné.

Voyant qu'il reste sans réaction, le Gravos se penche, saisit les revers du smoking blanc et ahane.

Le Levantin bascule hors de sa brouette et se retrouve les quatre fers en l'air sur le goudron de l'avenue. Bérurier attend qu'il se relève, ce que l'autre accomplit misérablement avec des mouvements grotesques de tortue de mer arthritique.

Dès lors, le papa d'Apollon-Jules démarre sa grande démonstration d'automne. Il se met en humeur d'un coup de tête dans le pif. Ça raisine. Ensuite c'est un une-deux à la face. Ça raisine. Suit un coup de tatane dans les roustons. Là, ça ne raisine pas, mais Kazaldi tombe à genoux en geignant. Béru

---

(1) Pour renâcler, probablement ?

lui shoote dans la denture. Ça reraisine et il s'ensuit
en outre une pluie d'incisives. Kazaldi se couche
lentement sur le sol. Alexandre-Benoît saute à pieds
joints sur son énorme et flasque bedaine. Bruit du
vent dans les branches de la forêt canadienne. Tel un
kangourou farceur, Sa Majesté quitte le ventre pour
la frime de Kazaldi.

Cette fois, plus rien. Sa victime est *out*.

Le Magnifique essuie ses semelles ensanglantées
après le smoking qui, depuis un moment, a perdu sa
blancheur Dash 3.

Slim jette sa cigarette devenue mégot et émet un
sifflement admiratif.

— J'ai déjà vu arranger un mec de cette manière,
mais c'était à Hambourg dans le quartier San Pauli et
par des matafs chleuhs. Il a son taf, non ?

— Bougez pas, j'le requinque, annonce le Mastar.
Un aut' qu'kidnappeur, j'me permettrais pas ; s'le-
ment des mecs comm' lui, y a pas d'respecte humain
à avoir.

Il dégage son instrument de travail de nuit, c'est-à-
dire sa perforatrice à percussion, haut voltage, en use
pour compisser cyniquement et abondamment la
bouille effroyable du bel endormi.

Dix kilos de pression, ça réveillerait un député en
séance. Kazaldi revient de sa virouze à *Apple Land* et
ouvre la bouche pour crier. Là, il suffoque !

Dès que le jet béruréen cesse et qu'il peut retrouver l'usage de la parole, il déclare au Mastar :

— Vous êtes un homme mort !

Tu crois que ça déconcerte mon pote ?

— Plus mort que moi, tu vis ! il riposte.

Vlan ! Du tacot talc !

— Maintenant, reprend Sa Majesté, faut qu'on va
récupérer la petite demoiselle ; allez, ouste ! Et si tu
fais le malin, je te promets qu'tu pass'ras l'restant

d'ta vie dans un tank transformé pour toi en p'tite voiture !

C'est Slim qui va tambouriner au donjon. Des domestiques se pointent. Il leur annonce que leur vénéré maître Gras-Double Ier, vient d'avoir un accident et qu'il est inanimé sur le trottoir comme un objet doté d'une âme.

On s'empresse dans la strasse. Pour tout te dire, manière d'aller jusqu'au bout de mon propos, je viens d'administrer à l'obèse une dosette de sirop de songes. J'ai toujours de petites ampoules injectables dans un compartiment de mon larfouillet. C'est moins gros qu'une recharge de Waterman et l'effet soporifique est beaucoup plus puissant.

Les larbins crient et sanglotent en voyant leur monarque sur le macadam, ensanglanté et inconscient. Lambert les rassure comme quoi il est docteur et qu'il s'agit simplement d'un traumatisme passager. Faut le coucher, le panser, tout ça. Il s'en charge.

Seulement, ce que je crains se produit : le citoyen Karim Harien, né natif de San'A (Côtes-du-Nord) finit par sortir à son tour et d'emblée (en herbe) me reconnaît. Dès lors, il se met à égosiller dans sa langue materneuse. Le seul moyen de calmer les esprits, c'est qu'on dégaine nos pétoires, Béru et moi, et que le Mammouth administre quelques taquets opportuns. L'effervescence se calme et nous pénétrons tous dans la maison.

Quatre, c'est pas de trop pour investir et contrôler le petit palais. D'autant que Lambert, malgré sa bonne volonté, n'est pas un pro. Il fait ce qu'il peut, mais ça reste brouillon. Slim serait davantage opérationnel. Je connais rien de son pedigree, cézigue, mais je suis prêt à te parier tes couilles contre un abonnement d'un an au *Chasseur Français* qu'il a déjà traîné sa bosse dans des coups frelatés, l'artiste. P't'être qu'il a même fait mercenaire dans une république de la Nouvelle Afrique, va-t'en savoir ! La manière pleine de sang-froid qu'il participe. Son calme, sa rapidité d'exécution, sa vigilance.

On laisse le Gros Sac à détritus endormi dans les mains de ses esclaves, sous la surveillance d'Alain, et puis on s'agglomère Karim Harien et un autre type qui ressemble à Gandhi jeune et qui paraît doté de pouvoirs étendus dans la principauté de Kazaldi.

— Où est la petite ? je leur demande.

— Quelle petite ? aboie l'enfant de San'A.

Un uppercut de Béru lui fait traverser la pièce et il va emplâtrer une admirable table basse, marquetée « Mille et Une Nuits » qui éclate sous son poids.

Calmement, Kid Cyclone, père d'Apollon-Jules, le finit d'un coup de savate à clous dans le temporal.

Je me tourne alors vers le sosie de Gandhi :

— J'ai pas bien compris votre réponse, l'ami, où dites-vous qu'elle se trouve, la jeune Française ?

— Il n'y a pas de jeune Française ici !

Celle-là, il l'a pas vue venir. Et pourtant il aurait dû, avec ce qui précède. En deux enjambées, Alexandre-Benoît est à lui, pour lui et sur lui. Le soulève de terre d'un crochet au bouc, puis lui shoote dans les pendeloques à moelle.

Le gazier hurle à pleine voix des choses qui nous sont incompréhensibles et qui ressemblent à de l'arabe du golfe Persique déclamé par un tigre dont la queue est coincée dans l'engrenage d'un hachoir électrique.

Slim hoche la tête et sort. Félin, souple. Sûr de soi, quoi ! Je te répète que ce mec est une recrue idéale pour les coups de Trafalgar. Il paraît prendre un monstre panard à servir sous notre bannière.

— T'as encore des petites doses dormeuses ? interroge le président Bérurier en montrant les deux hommes tuméfiés.

— Une seule.

— Partage-leur-la qu'on aye la paix !

Nous voilà à draguer dans l'immense demeure. Du marbre blanc ou blond, des tapis superposés, des lustres gaufrettes, du stuc à se chier parmi, des meubles orientaux, des paravents orientables, des soieries accrochées aux murs. Moi, ça me pomperait l'air d'exister dans ce genre de crèche. J'ai pas l'hérédité propice. J'aime les baraques en sabots, celles qu'ont des poutres et où le bois craque de partout.

On se déplace comme des soldats investissant une ville, l'arme au poing, sur le qui-vive.

Une silhouette paraît et on se plaque au mur, le feu tendu, l'index chatouilleur. En général, il s'agit d'un domestique, femme ou homme, attiré par le ramdam. On lui fait signe de déguerpir, ce qu'il (ou elle) s'empresse de faire avec une bonne volonté touchante. Mais bibi lolo, dit ma pomme, le fils unique et donc préféré de Félicie, pense que ça ne va pas durer jusqu'à la Saint-Trou de Bite, notre fantasia. On s'est foutu dans une choucroute orientale pas possible, où les merguez remplacent les francforts. Il va vaser des pépins avant lurette, je pressens, si on s'attarde.

Et soudain : *the miracle.*

Slim !

Au tournant du couloir. Tenant par le bras, devine qui ? Oui : ELLE, t'as gagné. Elle, c'est-à-dire Alice, belle, blonde, l'air un peu lointain. Elle porte un déshabillé de soie crème à travers lequel on distingue ses formes émouvantes.

Elle se secoue en protestant.

— Mais lâchez-moi ! Vous me faites mal !

Slim la drive d'une main de fer forgé.

On se regarde, elle et nous. Elle paraît paniquée, murmure :

— Qui êtes-vous ? Que me voulez-vous ? Où est le prince ?

Le prince !

Parle-t-elle du pachyderme endormi ?

On fonce jusqu'au grand salon où Kazaldi gît toujours sur un amoncellement de coussins.

Lambert est là. En découvrant sa fille, il devient blême. Des larmes lui giclent des yeux à au moins un mètre ! Des vrais geysers ! Il balbutie :

— Oh ! Alice ! Mon enfant ! Ma petite fille !

Et il ouvre grand ses bras, et il sanglote, et il est ravagé par un bonheur quasi douloureux. Et c'est la vie qui lui revient ! C'est la lumière ! Il retrouve son sang, son âme, son essence humaine. Il s'avance vers la jeune fille. L'instant est suprême, indicible. Il fait de la musique.

On est tous étreints par son émotion. La Terre se remet à tourner dans le bon sens. On voudrait chanter, applaudir, s'embrasser, tous. On regarde avec des yeux trop petits pour contenir l'infinie grandeur du spectacle. On s'aime. On a des projets de prières, d'actions de grâce. Fascination complète.

Alors, après un instant d'immobilité, Alice s'avance, passe devant son père sans le regarder et s'abat en pleurant sur la masse ensanglantée de Kazaldi.

PAN !

L'effet est plutôt saisissant. On ne s'attendait vraiment pas à une réaction de ce genre de la part de la jeune fille kidnappée.

Moi, dans mes instants d'euphorie, quand j'imaginais les éventuelles retrouvailles d'Alice avec son père, je me jouais un grand morcif de bravoure ! C'était grandiose, émouvant et superbe comme du Shakespeare monté par Hossein. L'imagerie d'épinard ! comme dit Béru. Selon moi, tout le monde devait y aller de sa larme. On allait se gratuler, les assistants. Entonner un *alléluia* pas piqueté des charançons. Peut-être se sortir la queue, pour faire plus gai.

Et au lieu de la féerie escomptée, bernique ! La môme ne voit même pas son pauvre papa ravagé. Elle nous joue *Phèdre* à prix de faveur, penchée sur la montagne de viande pas fraîche en criant :

— Mon amour ! Mon amour !

Son amour, ce gonzier d'un quart de tonne ! Faut pas pousser ! Elle est sous hypnose ou quoi, Alice ? Il lui a fait boire un philtre magique très serré, Kazaldi pour éveiller pareille passion rien qu'avec des brouettées de graisse pas fraîche et un regard de marchand de capotes anglaises d'occasion !

Même sous l'effet d'une potion magique, on a du

mal à concevoir que cette ravissante poulette, si fraîche et pure, puisse vouer dix centimètres de passion à un tel monstre. Elle joue *la Belle et la Bête*, miss Lambert ! Cocteau le magicien est passé par là ! Le pouète a transformé l'ogre en prince charmant.

Alain est épouvanté, comme s'il découvrait avec une indicible horreur que sa chère petite n'était en réalité que la méchante sorcière de *Blanche Neige*. Il est là, bras ballants, yeux ballants, dos rond, bouche ouverte. Il croit pas à ce qu'il voit. Non, non : on lui a changé son Alice. Au pays des merguez, elle est devenue autre. N'a plus rien de commun avec ce qu'elle fut. Adieu, la jeune personne intelligente, tendre et efficace, qui faisait le bonheur de son *father*. Ne reste qu'une créature maudite, une émanation des enfers !

Elle palpe le monticule de viandasse abominable.

— Son cœur bat toujours ! dit-elle. Il faut appeler un docteur, vite ! L'emmener à l'hôpital ! Il faut… Mais faites quelque chose, bonté divine, au lieu de rester planté comme des statues.

Je me penche sur elle.

— Venez, mademoiselle Lambert, il est simplement endormi et aura récupéré dans quelques heures. Il a eu un léger accident de voiture et on lui a administré un puissant sédatif.

Elle me regarde sans me voir, m'écoute sans m'entendre.

— Votre papa est là, vous avez vu ? Venez avec lui, nous prendrons plus tard des nouvelles du prince.

— Jamais je ne le quitterai ! rebuffe-t-elle.

— Je vous dis que nous repasserons le voir plus tard.

— Laissez-moi !

Une colère verte, grande comme la Sibérie, et même un peu plus, tiens, ajoute le Turkestan pour faire le bon poids, m'investit.

Je la saisis par un bras, mais elle m'échappe d'une secousse.

— Ne me touchez pas !

— Dommage que t'ayes plus de dosette, soupire Béru ; tu veux qu'j'y remplace ça d'un mignon taquet pour jeune fille à la pointe de la galoche ?

Je hoche la tête. Je ne vois pas d'autres solutions dans l'immédiat, en effet car il faut que nous évacuions les lieux dare-dare, sinon on va plonger dans la grosse mitoune avant peu. Tu parles que notre opéra bouffe a dû déclencher le méchant dispositif d'alerte dans le repaire de ce Gros Vilain.

Mais le soporifique manuel, c'est bibi qui l'administre, tout comme l'autre, car le Mammouth ne sent pas sa force (bien qu'elle pue comme le reste de sa personne) et il serait capable de lui provoquer une décollation, Alice.

Je me fabrique un joli poing en acier trempé, voire même en iridium (masse atomique 192,22, pour tout te dire). Je l'approche du menton d'Alice, puis l'en recule, comme le rugbyman s'écarte du ballon avant de le frapper.

Pan !

Très sec. Pas méchant, mais dur. Je vois chavirer son regard. Je la retiens de ma main libre. Slim s'est précipité pour la cueillir dans ses bras vigoureux.

— Allez, on se casse ! dis-je.

Lambert tend la main à Béru.

— Prêtez-moi votre arme, je veux tuer cet homme !

Le Gravos m'interroge du regard.

— Non, Alain ! fais-je fermement, la vengeance ce sera pour plus tard, et autrement. Venez !

Slim va déposer la petite à l'arrière de leur tire,
Lambert se met près d'elle. Ensuite, notre pilote
hors ligne s'installe au volant.

— Programme ? il demande.

— L'aéroport, décollage immédiat ! Alain, tu
n'as pas oublié le passeport d'Alice avant de partir, comme je te l'avais demandé ?

— Je l'ai.

— Parfait, il ne faut pas perdre un instant.

Un cri forcené éclate dans la nuit tiède. Je me
retourne. Bérurier se tient près de son auto de
louage. Il émet une seconde clameur, encore plus
stridente, plus terrifique que la première. C'est le
contre-ut de la Callas enrobé de la plainte de
l'auroch avec, sous-jacent, l'appel du diplodocus
en rut. Il se tourne vers moi. Saisissant ! Il vient
de perdre ses couleurs et cinquante kilos d'un
coup.

— Apollon-Jules ! il me lance. On m'a volé
Apollon-Jules !

J'incrédulise :

— Tu es sûr ?

— Comme il bieurlait sauvage à l'hôtel, j'l'avais
pris av'c nous et y l'avait fini par s'endormir su' la
blanquette arrière. Y n'y est plus ! On m'la kidnappingé !

Sa voix du sang lance dans le ciel de velours de
la nuit marocaine :

— J'les but'rai tous !

Moi, ça phosphore à des fréquences d'ordina-
teur géant sous ma coiffe.

— Y a un problo, dis-je à Slim et Lambert.
Rentrez d'urgence à Paris, collez la petite dans
une clinique surchoix et attendez de mes nouvelles.

Slim fait la moue.

— C'est pas la joie de vous larguer dans une pareille béchamel, les gars ! déplore-t-il.

Non. Et c'est pas la joie d'y rester. Mais quoi, hein ? quoi ? Leur tire cabossée s'éloigne. Je suis du regard ses feux rouges dans l'avenue déserte.

T'avoueras, Eloi, que le sort est sinistrement cocasse. On récupère Alice de haute lutte, et pendant ce temps, des mecs s'emparent du chiare d'Alexandre-Benoît ! Mais on est donc maudits, merde !

Faut dire que, comme papa gâteau, on fait mieux que le Mastar. Quand il n'assomme pas son bébé à coup de gnole, il l'abandonne à l'arrière d'une bagnole pendant qu'il part en croisade contre les infidèles !

Je réfléchis, prendre les mesures du drame. Tandis qu'on guerroyait chez Kazaldi, le moufflet se sera réveillé et se sera mis à brailler. Des passants l'auront pris, l'estimant abandonné. Si ça se trouve, il est en train de se faire du lard dans une crèche des alentours, Apollon-Jules.

Mais Béru fonce sur la maison que nous venons de quitter et martyrise la lourde du poing et des pieds.

— Ouvrez ! Ouvrez immédiatement tout d'suite ou j'fous l'feu à vot' masure.

Comme le disait cette célèbre romancière dont j'ai oublié le nom, l'œuvre, et jusqu'à son numéro de téléphone : « Seul le silence lui répond ». Ils se sont barricadés méchamment là-dedans. Pas la peine de vouloir les intimider, ni essayer de se faire passer pour des colporteurs vendant de la poudre à chasser les éléphants roses de leur jardin.

— Arrête, Béru. Qui te dit que ce sont eux les auteurs de l'enlèvement ?

— Eh, dis, y z'ont déjà prouvé ce dont quoi y sont capab' !

— Réfléchis : Kazaldi était évanoui, il n'a pu donner un ordre dans ce sens. Et on faisait leur fête à ses sbires ! Et puis comment auraient-ils pu savoir que tu trimbalais ton chiare avec toi ?

Il branle son pauvre chef accablé.

— Y sont tout un trèp' dans c'te cambuse, Sana, suppose qu'en aurait un qui s'rait sorti pendant qu'on f'sait l'ménage chez ce porque ? Mon môme chiale, il l'avise et entrevoit l'aubaine... Non, non, faut qu' j'susse.

Il marche délibérément à la lourde et défouraille dans la serrure à trois reprises.

Ce qui réussit toujours à Bérurier, c'est sa certitude heureuse. Ses pires audaces, ses coups de tête les plus risqués se trouvent comme justifiés par sa parfaite sérénité. L'homme armé d'un mobile auquel il croit est invulnérable parce qu'il a son droit pour lui. Avoir « son droit » est beaucoup mieux que d'avoir celui des autres, crois-moi.

D'un grand coup de saton, il achève de déponner et nous rentrons dans la demeure de Kazaldi. En trombe, en force, revolver au poing pour ne pas changer. On est montés sur boucle, décidément ! Les occupants du petit palais doivent se dire qu'ils ont déjà vu le film, et que bon, ça va bien, si on leur passait un Mickey, maintenant, pour changer ?

Le Gros écume. Il est grandiose dans sa fureur de père blessé. C'est un typhon qui balaie la vaste maison. Il pousse de rares clamances d'animal préhistorique. Il débarque du tertiaire, le Mastar ! Droite ligne ! Il cogne tout le monde, au hasard, au jugé, soucieux d'oublier personne. Son môme ! Qu'on lui rende son môme ! Y croivent quoi, ces fumiers ? Ah ! non, pas à lui ! Le régime pigeon, c'est pas son blaud, le Dodu. Qu'on ravisse les chiares des autres, c'est de bonne guerre, mais pas LE sien, à lui, frais sorti de ses énormes couilles ! Il insurge ! Le monde n'est pas assez grand pour qu'on lui joue un tour pareil en espérant s'en sortir vivant. Notre galaxie aussi est trop étroite. Y a pas de refuge envisageable pour le mec qui lui a fait ce galoup.

Il coince les uns, les autres, leur fait éclater le pif, cracher des dents. Leur poche les lampions, leur décolle les étiquettes. Leur perce le burnous tellement qu'il leur plante fort le canon de son arme dans le bidon.

Ça dure une plombe complète, le sac de la maison Kazaldi. Qu'ensuite y a plus personne de valide, plus un meuble entier, plus un tapis qui ne soit percé, plus une tapisserie qui ne soit persane et en lambeaux, plus un mur blanc qui reste immaculé. Y a du sang, des cheveux, des ratiches un peu partout. Mais ce carnage atroce ne solutionne pas le cruel problème : Apollon-Jules demeure introuvable. Personne n'est au courant de son existence.

Epuisé, Sa Majesté s'abat tout à coup sur une pile de coussins et se met à hurler de malheur.

Je lui tapote le dos.

— Allons, viens, Alexandre-Benoît, nous devons le chercher ailleurs.

Il se redresse, les yeux bouffis, la morve longue de quarante centimètres et la bave de cinquante.

— Hein, quoi-ce ?

— Tu vois bien que ceux d'ici n'ont pas pris ton môme, gars. On va aviser, voir autre part...

— Si qu'on préviendrait la police d'ici ?

Curieux comme, tout soudain, il est devenu simple quidam dans l'infortune, le géant de la dérouille, comme il se fait humble citoyen placé sous la protection des autorités compétentes.

Le hic, si nous allons porter plainte chez nos confrères, c'est qu'il va falloir leur dire où se trouvait l'auto où se trouvait le bébé et où nous nous trouvions nous-mêmes pendant qu'on l'enlevait. Ils vont venir enquêter ici et, dès lors, apprenant nos exploits, renverseront la situasse et nous embastilleront. Surtout que je lui pressens le bras long, Kazaldi. Il est fort probable qu'il rameutera la garde après s'être réveillé et avoir découvert sa demeure saccagée. Ça nous pend au pif comme la morve du Ventru.

— Prends ta tire et suis-moi jusqu'à l'hôtel ! dis-je à l'épave.

Elle m'obéit mornement.

Tout en drivant ma calèche, j'essaie d'imaginer ce qu'il est advenu du poupard. Bon, il braillait. Un passant l'entend, l'avise...

C'est un fils d'étranger, de roumi, dans une bagnole. Y a de l'auber à affurer. La tentation est trop forte, il fait nuit, l'avenue est déserte... A moins qu'il ne s'agisse d'un fanatique désireux d'immoler l'enfant d'un infidèle ?

J'en frissonne. Pauvre petit Apollon-Jules ! Pas de chance de tomber sur des parents comme les Bérurier, avec une mère qui vous moule pour aller se faire troncher à Montbéliard, et un papa qui vous soûle et vous brinquebale aux quatre coins du monde, allant jusqu'à vous abandonner sur la banquette d'une auto non fermée ! Si on parvient à le récupérer, je demanderai à ses géniteurs de nous le confier, et Félicie l'élèvera dans les règles, ce gentil monstre. Elle adore faire l'élevage des humains, m'man. C'est une vocation chez cette sainte femme.

Parvenu à l'hôtel, mon pote demande :

— On va à la Rousse, hein ?

— Pas ce soir, Gros. On tombera sur un poulet de

nuit ahuri, qui pigera ballepeau à ce que nous lui raconterons. Demain, on prendra les choses de haut ! On lancera le...

Il insurge (s').

— Tu voudrais pas que je vais me pieuter en ayant paumé mon chiare, mec !

— Tu dois prendre des forces ! Et moi aussi. Nous en aurons besoin demain.

Démantelé, il se résigne.

Je viens de faire une monstre connerie ; mais ces choses-là, c'est seulement par la suite que tu t'en aperçois.

Le ronfleur du téléphone retentit. En fond sonore, je perçois un ramage d'oiseau. Ça gazouille outrageusement dans les jardins de la Mamounia.

Le bigophe insiste. Je m'arrache des vapes tant mal que bien. Je me dis : « Un chacal, des shakos ». Et puis, l'Himalaya en caleçon de bain me tombe sur la théière : Apollon-Jules !

Misère ! Horreur ! La réalité en cendres ! Pouâh !

Je tâtonne pour dégoupiller la grenade du téléphone.

La voix anonyme d'une standardiste m'annonce :

— On vous appelle de l'étranger, monsieur.

— Merci, que j'réponds.

Branchement. Une voix douce, sucrée, un brin zozotante m'investit la trompe droite.

— Commissaire ?

— Lui-même.

— Kazaldi.

Poum !

— Je ne reconnaissais pas votre voix, je dis-je.

— Parce que j'ai le nez cassé et la bouche fendue, probablement.

— Oui, c'est sûrement pour ça, conviens-je. On

m'annonçait un appel de l'étranger ; où êtes-vous donc ?

— Marbella, Espagne.

Je me sens un peu mieux. S'il a traversé le détroit de Gibraltar, c'est qu'il renonce à porter plainte contre nous.

— Vous vous déplacez rapidement pour un type qui pèse deux tonnes.

Un silence, sa respiration oppressée d'obèse me file une bourrasque dans la portugaise. C'est pénible comme le bruit d'un appareil rendant compte du comportement cardiaque d'un malade dans le coma.

— Vous avez des méthodes assez singulières, pour un policier, reprend Kazaldi.

— Les vôtres le sont davantage encore pour un homme d'affaires.

— Cependant, passe outre mon interlocuteur (je dis « passe outre et non outrepasse »), il y a des lacunes dans votre formation policière.

— C'est possible.

— Non, c'est certain. Cette nuit, le bébé de votre compagnon a disparu devant ma maison. Vous vous êtes alors précipités comme deux sauvages chez moi pour molester tout le monde et ruiner mon intérieur. En revenant à moi, j'ai cru avoir été victime d'un séisme.

— Un père dont on a kidnappé l'enfant est capable de tout !

— Vous vous êtes montrés bien impulsifs en venant chez moi chercher ce marmot.

— On ne prête qu'aux riches, monsieur Kazaldi.

— Il suffisait d'aller au poste de police le plus proche.

Là, je renâcle.

— Expliquez-vous !

— L'enfant hurlait dans la voiture. Des policiers

qui faisaient leur ronde l'ont entendu. Comme ma voiture défoncée se trouvait près de l'autre, ils ont pensé qu'à la suite d'un accident on avait évacué les blessés en abandonnant l'enfant par mégarde ; alors ils l'ont pris et conduit à la maternité.

Je respire. Dieu soit loué ! Et moi, triple con, qui ai refusé à Béru d'aller chez nos collègues marocains ! Là se trouvait la clé du problème. Donc, tout est bien qui finit bien.

— Merci du renseignement, monsieur Kazaldi, et pardon pour... pour le dérangement qu'on vous a causé cette nuit.

— Vous appelez cela du « dérangement » ?

Il a un rire légèrement sarcastique sur les bords et le pourtour.

Puis il reprend :

— Pensez-vous, monsieur le commissaire, que je vous appelle simplement pour vous informer de cette chose ?

— Une grosse carcasse peut cacher une grande âme, laissé-je tomber.

— Des personnes « à moi » sont allées récupérer le bébé à la maternité.

Un froid hideux me dévale dans les jambes. J'ai des bottes de glace, et elles sont pas à ma pointure.

— Les responsables de l'établissement le leur ont remis sans autres formalités ?

— Oui, car elles étaient accompagnées d'un faux policier.

— Vous êtes un technicien du rapt, si je comprends bien ?

— J'atteins toujours les objectifs que je me suis fixés.

— Quel est celui du moment ?

— Je veux avoir une entrevue avec Lambert, sa fille et vous.

— Dans quel but ?

— Vous le verrez bien. Cette rencontre ne devra pas avoir lieu en France, mais en terrain neutre, et je vous propose l'Espagne puisque je m'y trouve. A l'issue de celle-ci, vous récupérerez l'abominable enfant de votre non moins abominable ami.

— Alice Lambert ne peut se déplacer, elle est dans une maison de repos.

— Dont elle n'a nul besoin car elle se porte bien et ne demande qu'à être heureuse avec moi.

Je m'étrangle.

— Heureuse avec vous ! Non mais, dites donc, Kazaldi, avez-vous eu la curiosité de vous regarder dans une glace ?

— Hélas oui, et Alice aussi m'a regardé, cela ne l'a pas empêchée de répondre à mon amour. Désormais, elle et moi, c'est pour toujours, commissaire. Pour toujours !

— Vous lui avez fait avaler quelque saloperie qui agit sur son psychisme !

— Un philtre d'amour ? plaisante Kazaldi. Vous vous croyez dans un conte oriental ! Pensez-vous vraiment que mon poids neutralise mon charme ?

— Albert Cohen affirmait que deux incisives manquantes pouvaient détruire une passion, dis-je.

— Peut-être, mais cinquante kilos de surcharge pondérale ne nuisent pas fatalement à son développement. Les femmes sont sublimes, mon cher, car avec elles, il n'existe jamais de critère : tout est possible.

— Bon, ça c'est la partie philosophique de notre entretien, tranché-je, passons au côté pratique : vous détenez l'enfant de mon ami et le garderez jusqu'à l'obtention du rendez-vous en question, si j'ai bien compris ?

— Voilà la situation admirablement résumée.

— Vous savez que je suis assermenté et que vous allez bien vite vous retrouver avec toutes les polices d'Europe à votre gros cul ? De plus, mon collègue Bérurier est un fauve. Si vous ne lui rendez pas son chiare immédiatement il vous tuera.

— Un homme prévenu en vaut deux ! riposte Kazaldi.

Son rire douceâtre retentit.

— Vous venez de me prouver que les moyens extra-légaux ne vous font pas peur, monsieur San-Antonio. Alors, jouons cartes sur table au lieu de finasser. Je me sers de la monnaie d'échange dont je dispose. Et surtout n'essayez pas de récupérer le gosse : il est en lieu sûr ; de plus, ne mêlez pas vos confrères marocains ou espagnols à cette doulou-reuse affaire, ils ne feraient que la compliquer. Vous avez de quoi écrire ? Alors, voici mon téléphone ici.

Ce culot ! Cette maîtrise ! Cet aplomb ! Comme un glandu, je note sous sa dictée.

— C'est fait ?

— C'est fait.

— Ne tardez pas trop, j'ai hâte que nous en ayons terminé.

Non mais, il me commande, ce bloc de saindoux ! Me prend pour son cireur de lattes !

On est terribles, les hommes. C'est fou comme il nous vient des bouffées meurtrières par instants. Et chaque fois, c'est commandé par l'orgueil exacerbé, tu remarqueras. On se prend pour quelqu'un.

Et peut-être qu'on l'est, après tout ?

ET RRRAN !

Pas commode, la Bérurière. Faut la voir égosiller.
Et l'entendre, donc ! Une marchande de poissons à la
criée ! Violine, les peignes et les barrettes tremblo-
tants au bout des mèches défaites, elle en casse des
paquets, l'Ogresse. Comme quoi c'est un monde de
ne pas pouvoir tourner le dos cinq minutes sans que
son gros con moule le domicile conjugal ! Et qu'il a
emporté le bébé, en suce ! Et où est-il été, je vous
demande, Santonio ? Répondez-moi franchement si
vous oseriez ! Soiliez un homme, dites-moi tout ! Il
s'est taillé av'c une gourgandine, n'est-ce pas ? Une
roulure pêchée dans un bistrot d'nuit ! Qui sait : en
compagnie d'une vraie pute, p't'êt' ? La voie libre, lui
il fonce par la brèche ! Il aurait laissé le moufflet à la
concierge, soite, bon vent ! Qu'il aille se faire reluire
ailleurs, le porc. Mais c'vice d'embarquer Apollon-
Jules avec sa pétasse ! Que si ça se trouve, y le lui
donne à langer, entre deux coups de bite, tel
qu'j'l'connais ! V'v'lez-t-il parier, Tantonio ? Ce
pauv' bébé qu'ouv' ses châsses innocentes sur les
pires z'hideurs, elle voit ça d'ici ! Son père en train
d'se faire turluter le braque pendant qu'il s'enquille
son biberon, l'pauvret. Et quand elle cause du
biberon, ell'le connaît, Alexandre-Benoît : prêt à

l'arracher de la bouche au bébé pour l'finir, l'monstre ! Goinfre au point qu'vous savez, Santonio !

Je tente de la calmer, mais y a pas mèchouille d'en
caser une broque ! Trop sur orbite, la Baleine ! Une
vachasse projetée dans le cosmos, ça suit sa trajec-
toire, inexorablement.

Elle en est au divorce avec garde de l'enfant,
lorsque la porte de mon burlingue s'ouvre et que
dame Pinaud paraît, remontée à outrance, elle aussi.
Tout comme Berthy, elle vient me réclamer des
comptes à propos de son homme qui n'a toujours pas
reparu depuis le baptême.

— Vous me cachez quelque chose, commissaire !
Et moi je meurs toute seule pendant ce temps. Mon
emphysème m'a reprise et je ne peux plus respirer.
Sans parler de mon eczéma. Regardez mes avant-
bras, par curiosité ! De surcroît, je suis en pleine
occlusion intestinale. Du sérieux ! L'*Inolaxine* ne me
fait plus rien ! Pas davantage le *Pursernid !* J'ai tout
essayé : le yaourt, les pruneaux ! Il n'y a plus que
l'huile de ricin ! Et encore, je suis obligée de me finir
à la main quand je vais aux toilettes, si vous souhaitez
des détails !

— Ça ne doit pas être triste, commets-je.

Elle s'arrête de grincer, girouette rouillée tour-
noyant dans le vent de sa rage.

— Ah ça, vous gaussez-vous de moi, commissaire ?

Je me lève, exténué par l'assaut des deux mégères
aux styles différents mais tout aussi pernicieux l'un
que l'autre.

— Mes gentilles amies, leur fais-je, permettez-moi
de vous confier le fond de ma pensée la plus intime :
vous me faites chier avec vos bonshommes ! Y a
longtemps qu'ils auraient dû se barrer, l'un et l'autre.

Leurs réactions sont, là aussi, divergentes. La

Pinaude porte les deux mains à son thorax comme
pour une crise d'angine de poitrine et balbutie :
« O Seigneur tout-puissant, je Te l'offre ! » Tandis
que la Bérurière, elle met ses poings de toucheur de
bœufs sur ses hanches viragotes.

— Dites, Antoine, prenez-le pas su'c'ton, hein !
Parce que si c'est la merde qu'vous cherchez, av'c
moi vous allez en avoir.

La Pinaude se retire comme la mer sur le sable.
Dès lors, je fonce sur la Grosse.

— Dites-moi, Berthe, en ce qui concerne la disparition de Pinaud, vous avez peut-être un témoignage
intéressant à apporter, non ? Car il se trouvait seul
avec vous dans l'auto lorsque Béru et moi sommes
venus ici. Or il n'y était plus à notre retour.

Le visage mafflu s'empreint d'une ruse maqui-
gnonne.

— Avouez-moi où est-ce que sont « mes
hommes » et j'vous causerai du père Pinuche.

« Ses hommes ». Le voilà promu homme, par sa
maternelle, l'infortuné Apollon-Jules. Où est-il, ce
chérubin de triperie ? Je donnerais beaucoup pour le
savoir. Quand, hier matin à Marrakech, j'ai fait part
au Gros du marché de Kazaldi, il est devenu pâle,
oui : vraiment pâle, d'un blanc livide tirant sur le
violet foncé. Et il a murmuré d'une voix outre-
tombale :

« — Et qu'est-ce tu comptes-t-il faire ? »

« — Décider Lambert et sa fille à se rendre au
rendez-vous afin que nous récupérions ton enfant
bien-aimé. »

« — Et si ce gros dégueulasse nous bite ? »

« — Pourquoi nous biterait-il ? Que veux-tu qu'il
fasse d'Apollon-Jules ? »

« — Et tu croives qu'le Lambert qui vient d'récupérer sa gosseline, va la rapporter à Sac-à-Merde ? »

« — Je ne vois pas d'autre alternative, Gros. »
Son regard est devenu flamboyant comme dans la lumière la gelée de groseille.

« — Ah ! tu voyes pas d'autre alternateur ? Ben moi si ! Si tu voudrais avoir la bonté de m'attriquer un peu de flouze pour mes déplaceries, je jouererais ma partie en solo, ce qui n'en s'ra que mieux ! Chacun sa gagne. Toi, tu prends l'ch'min des aiguilles, moi çui des épingles. »

Je lui ai remis une liasse de talbins et il est parti, sans un mot, d'une démarche presque militaire. On eût dit qu'il venait de signer la capitulation allemande dans le wagon de Rethondes.

Après cette évocation éclair de la scène de la Mamounia, mon regard se concentre sur Berthe.

— Vos *hommes,* ils sont au Maroc, Berthy. Invités par un riche homme d'affaires du golfe Persique auquel nous avons rendu quelques menus services.

— Au Maroc ! tonne la Baleine. Au Maroc tandis qu'j'm'échinais à aider c'pauv' Alfred, à Montbéliard ! Alors là, il y a une pointe d'abus ! Au Maroc ! av'c not' enfant délicat, dont j'parie qu'il lui fait bouffer du couscous au lieu de Blédine, tel qu'j'le connais, Alexandre-Benoît ! C'est criminel, si vous voudrez qu'j'vous dise.

— Maintenant, parlez-moi de Pinaud !

Elle se calme. Un sourire indéfinissable lui vient.

— Ça restera ent' nous, Antoine ?

— Vous le savez bien.

— Alors, figurez-vous qu'l'aut' nuit, quand v's'êtes venus ici av'c mes hommes, me laissant seulette dans la bagnole en compagnie de Pinuche, l'vieux s'est réveillé en cerceau. Etait-ce-t-il un effet de l'alcool ? toujours est-ce qu'il triquait comme un loup, l'Ancêtre. Il en r'venait pas d'une chopine

pareille, et moi non plus. Ça f'sait trente-deux ans
qui n'lui était pas poussé une telle aubergine sous-
l'bide! Ça y f'sait gicler ses boutons d'braguette.
L'événement, quoi! Il en chialait d'émerveillance,
César. Y m'disait : « Mais je vais en faire quoi,
Berthe? On ne peut pas laisser perdre une érection
aussi folle! » Et franch'ment, Antoine, on n'pouvait
pas. C'tait ses feux d'la Saint-Jean, cet homme. Son
champ du Cygne! L'abandonner av'c un pareil
monument classé, ce fut été inhumain. Une insulte à
la nature. J'sais pas si vous imaginez, un mandrin
comme ça, mon cher Sana? Or, vous l'savez, polis-
son tel que je vous connais : juste au coin d'la rue, y a
l'*Hôtel de Prague et du Printemps Réunis*. On y a
foncé. Qui m'aurait dit qu'un jour j'eusse épongé
l'Ancêtre, j'me serais marrée! Mais dans c'cas, c'tait
comme qui dirait d'l'insistance à personne en danger.
N'importe qui à ma place : la comtesse de Paris,
Mme Thatcher, Mme Reagan en auraient fait autant.
Et puis, je tiens à vous l'rappeler : Pinaud, c'est
l'parrain d'mon enfant, ce qui crée des obligations.
En deux coups les gros, il me grimpait, le Vieux
Fossile. Et v'savez qu'il est encore nerveux du coup
de reins, l'animal! Un vrai saint-cyrien! Il m'a
brossée en levrette, Antoine. Ça été mené ron-
d'ment! Qu'à peine fini, poum! y s'est écroulé
su'l'flanc, le beau mâle! Qu'alors il s'est mis à
ressembler juste à c'qu'il est en réalité : un petit
vieux pas propr', tout flapi. Y v'nait d'jeter sa
gourmette pour la dernière fois! Toutes ses forces
bien ultimes. J'ai senti qu'c'était sa r'présentation
d'adieu! Son testament, une pareille troussée d'Co-
saque, Antoine. Doré de l'avant, y n'aura plus qu'un
p'tit escargot r'croquevillé dans son bénouze, le
César. Oh! y s'en souviendra, Pépère de sa dernière
ramonée : av'c moi et pou'l'baptême d'Apollon-

Jules! Sa grande découillée d'automne, qu'après laquelle, il pouvait s'enfoncer dans l'hiver. Y l'avait tiré son feu d'artifice. La manière dont il en écrasait, fallait pas songer à l'réveiller. J'vous parille qu'y pionce encore! C'tait de la dorme en bronze. D'alieurs, j'ai prévenu à l'hôtel qu'on devait l'laisser roupiller jusqu'à société. Si vous s'riez t'inquiet, allez voir, mais s'lon moi, il dort toujours. Et après une bitée d'ce calibre, ça peut durer encore des jours. Il est en hivernance, vous comprenez-t-il, Antoine? Comme les marmottes, j'saurais pas mieux dire. Faudra p't'êt'attend' les beaux jours pour qu'y rouv' les châsses, César. Mais, tout ça, j'pouvais pas en faire état d'vant sa femme. C't'une personne trop rigide, trop liquoriste sur les principes; le cul pincé, l'esprit étroit, et qui pig'ra jamais rien à la vie.

Ainsi parla Berthe Bérurier.

Mikaël, le valet-chauffeur des Lambert, vient m'ouvrir. Saboulé esclave, gourmé, l'œil rigoureux.

Je l'amadoue d'un sourire connivent.

— Ça boume, Mikaël?

Il a une moue guindée et me drive à la salle à manger. Lambert est seul à table. Il déguste une bisque d'écrevisse Liebig enrichie de crème fraîche et de petits croûtons grillés. Une bouteille de bordeaux, débouchée mais pleine, lui tient lieu de vis-à-vis. Je le trouve plus triste que jamais.

— Eh ben, dis voir, ça n'a pas l'air d'être le pied? fais-je en m'asseyant familièrement à sa table.

Il hoche la tête.

— Tu dînes avec moi?

— Volontiers.

La grosse Tania qui croise dans la pièce apporte sans mot dire du matériel à croque.

— Et la petite? questionné-je.

— Je l'avais conduite dans une clinique, en arrivant, mais elle n'a pas voulu y rester.

— Où est-elle?

Il désigne le plafond.

— Dans sa chambre.

Il a la gorge vachement serrée, Alain. Bisque bisque (de homard) rage! Même les aliments liquides renâclent dans sa pauvre gargante coincée.

— Ça ne va pas?

— Elle est prostrée, en pleine déprime. Elle ne parle que pour réclamer l'immonde type! Seigneur, quelle malédiction nous frappe! Mais qu'a-t-il pu lui faire pour qu'elle soit à ce point envoûtée?

Je me sers une louche de potage. Quelques croûtons... Lambert a le bon réflexe : il me verse un godet de Château l'Angélus (si cher à mon camarade Millet).

— Elle va tomber malade si ça continue, ou bien faire une bêtise.

— J'ai une propose à te faire.

Et je lui raconte le coup de chantage de Kazaldi.

— Cet être ne mérite pas de vivre, assure-t-il. Allons le voir, Antoine, et quand il aura rendu l'enfant de Bérurier je le tuerai.

Bon, laissons-le rêver. Il n'oublie qu'une chose, mon pote Lambert : on ne tue pas les gens « comme ça ». Il ne suffit pas de les haïr pour leur ôter le goût du pain. Y a tout un mécanisme à la base. Toute une philosophie à s'ingurgiter.

Derrière la bisque, vient un rôti de veau des plus bourgeois, accompagné de légumes printaniers. Puis un brie large comme le cul de la reine d'Angleterre. Et une salade de fruits qui devaient commencer à fatiguer dans leur corbeille et qu'on a ravigotés au marasquin.

Lambert bouffe sans trop savoir. Merde! A quoi sert qu'on lui ait récupéré sa grande fillasse s'il continue à traîner cette frime navrée?

Au moment où on passe au salon pour le caoua, je murmure :

— Tu me permets de rendre une petite visite à Alice?

Geste fataliste du père. Je grimpe au premier et vais frapper à la porte de la jeune fille.

M'a-t-elle dit d'entrer? C'est pas certain; en tout cas, je n'ai rien entendu. Je pénètre dans sa piaule pourtant si pimpante. Alice est allongée sur son lit, dans une robe de chambre de soie blanche à col saumon. Sa mine fait peur et ses yeux regardent je ne sais quoi à travers les murs.

La démarche floue, je me pointe jusqu'à son lit.

— Bonsoir, Alice.

Elle a un mouvement de recul en me reconnaissant. Ne suis-je pas celui qui l'a arrachée à son grand amour?

— Ecoutez, petite, demain, on va aller discuter le coup avec votre Roméo de deux cent cinquante livres, d'accord?

Elle pose sur moi son regard intelligent, mais comme égaré.

— Vous me mentez!

— Parole que non. Il nous attend en Andalousie. Cela dit, j'aimerais que vous me racontiez ce qui s'est passé à partir de votre enlèvement.

Elle rebiffe.

— Je n'ai rien à vous dire. Je veux vivre avec lui. L'épouser, un point c'est tout.

Chapeau pour Kazaldi! Il s'est livré à un sacré boulot. Elle est totalement ensuquée, la gosse. Docile comme un médium en transe. J'aimerais connaître sa méthode, à Bibendum. Des fois qu'un

jour je banderais pour une frangine réticente sur qui
— chose au demeurant impensable — mon charme
resterait inopérationnel.

Elle ajoute :

— Je suis majeure et j'ai le droit de disposer de
moi-même.

— Pensez à votre père...

— Mon amour pour « le prince » ne retire rien à
celui que je porte à mon père !

Le prince !

Ce que je voudrais le démolir à coups de talons, ce
prince pour abattoir.

Comprenant qu'elle est braquée, plein d'un infini
mépris, je m'écrie :

— Alors, prépare ta valise, connasse ! Puisque tu
raffoles du cochon, tu vas en avoir !

VRRROAOUMMMMMM !

Avant de te poser à Malaga, tu survoles la sierra pelée que sillonnent des routes en lacets de brodequin et dans les creux de laquelle se nichent d'adorables petits lacs bleus. On distingue des maisonnettes blanches, par-ci et également par-là, pour pas faire de jaloux. Mais d'hommes ou d'animaux, point ! La solitude brûlée s'étale à perte d'ovule jusqu'à la mer.

Le zinc va virer au large et se la radine vers l'aéroport où il se pose doucettement. Je passe chez Avis prendre livraison de la guinde que j'ai louée par tubophone : une grande Mercedes vert Nil. En route pour Marbella !

C'est joyeux comme un enterrement. Personne ne parle. On dirait franchement qu'on suit un corbillard.

Il fait un temps à tout caser. La route sent l'huile brûlée.

Je branche la radio, pour dire de meubler l'angoisse. Olé ! Olé ! Un air de fandango nous fouette l'inertie. On a l'accablement qui remue un peu, lézards réveillés par un bruissement. J'exprime avec poésie car telle est ma nature véritable et profonde. Bien sûr, connaissant ton aversion pour le beau, je tente de lutter contre ce lyrisme somptueux, mais de temps à autre ça m'échappe comme à toi le pet consécutif au cassoulet. Veuille donc me le pardonner, lecteur ami, fidèle compagnon des bons et des très bons jours. Dans la voie d'abnégation que j'ai choisie, le talent constitue une incongruité, je sais. J'essaie de me la faire pardonner. Attends, tiens tout de suite un acompte, pour te prouver ma bonne volonté poil au nez et un aperçu poil au cul du désir de te combler qui m'habite poil à la bite. Ça va ?

Je poursuis donc.

Ma route, d'abord (et elle m'amène à Marbella, via Fuente Girola).

Mon récit, ensuite (et où il me conduira, lui, ça alors tu m'en demandes trop).

Le Sac-à-Merde m'a déclaré qu'il habitait dans le quartier de Marbella Hill, lequel est dûment balisé par panneaux. Sa villa se nomme « Hurricane Bird ». Nous voici partis dans des petites routes défoncées encombrées de conteneurs à poubelles. Et tout à coup, à un carrefour mal praticable, une chignole rouge me frôle l'aile avant, au point d'arracher mon rétroviseur extérieur.

Une bordée d'injures françaises déferle aussitôt en provenance dudit véhicule :

— Va donc, tête de con, merde en branche, fleur de fesses, jus de couilles, nénuphar de pissotière, tronche de bite, cul de guenon, balai de chiottes, espingouin de mes deux, furoncle trop mûr !

La voix ! *The voice !*

Je stoppe au mitan de la route cahotique. Oui, c'est bien le Gravos au volant d'une 205 pour pompiers. Je sors de ma guinde, lui de la sienne, que déjà il retrousse sa manche droite pour les « constatations d'usage ».

Me reconnaissant, il laisse retomber le beau poing en ordre de massacrage qui lui était venu, rapide comme une bandaison nocturne de collégien abonné à *Lui*.

On s'évite de se lancer les « Toi ! » « Moi ! » « Nous ! » etc. consécutifs à une telle rencontre.

— Tu allais chez « lui » ? je demande.

— Moui, et toi z'aussi ?

— Affirmatif !

— Avec la grenouille ?

— Evidemment !

Il rit, Béru. Un beau grand rire pour drapeau japonais, tout rond, tout rouge.

— Il était qu'temps, mon drôlet !

— C'est-à-dire ?

— Tu peux la rembarquer, la miss, j'ai récupéré Apollon-Jules !

— Non ?

Je coule un z'œil dans sa tire, mais, échaudé, il ne le trimbale plus dans ses déplacements.

— Pas folle, la guêpe, ricane l'Enflure ; j'l'ai confié à quéqu'un d'sûr.

— En ce cas qu'allais-tu faire chez Kazaldi ?

Il en bave de sidérance.

— C'que j'allais faire chez un bandit qui m'a kidnappingé mon lardon ! C't'une vraie question à dix balles, qu'tu m'poses, Sana, ou bien si c'est juste pour déconner un peu ?

Je change de registre :

— Où était-il ton ange blond ?

— Chez des Arbis qu'habitent le coin, derrière la mosquée.

— Et comment l'as-tu retrouvé ?

— Par le chou ! déclare le champion en toquant son crâne qui sonne le plein, comme dit le Mastar. Je m'ai dit qu'pour transactionner, fallait qu'il l'eusse à portée d'main. Et que donc, ce fumier devait l'avoir planqué chez des potes à lui qu'habitaient l'secteur.

J'm'ai mis en ch'ville av'c le jardinier espanche qui s'occupe d'son jardin et j'y ai soûlé les naseaux pour savoir les noms d'ses copains. J'ai passé deux jours à draguer autour des casas que l'Espingo m'avait indiquées. Et figure-toi-t-il pas que t't'à l'heure, j'aperçois mon blondinet derrière une baie.

Il ferme les yeux.

— Tu m'aurais vu !

— Je t'imagine.

— Les tauliers s'trouvaient à London, et c'tait une équipe d'larbins arabes qui gardaient la taule. Maintenant, sont tous dans la cave, ligotés. Fallait pas qu'j'perdisse d'temps. J'sus été confier mon môme à une dame dont à propos d'laquelle j'ai fait la connaissance, c'te noye. Un' personne très bien, malgré qu'é soye espagnole. Elle tient une boutique su' la route d'Cadiz. Et moi, j'viens discutailler av'c ton pote Kazaldi.

Lambert qui se demande ce qui se passe sort à son tour et apercevant Béru se précipite.

— Ecoute, Alain, je lui fais. On n'a plus le temps de t'affranchir. Prends la voiture et va nous attendre au *Puente Romano* avec Alice ; raconte n'importe quoi à Alice, qu'il y a un contretemps de quelques heures, ce que tu voudras. Mais ne la quitte pas.

— Et vous deux ?

— Du train où vont les choses, on risque fort de la rendre veuve avant qu'elle ne soit mariée.

Il a un élan.

— Oh ! non, pas ça... Elle ne s'en remettrait pas !

Je lui souris. Ce qu'ils font de beaux cocus, les papas ! mieux encore que les époux. Qualité sur-choix !

— Tu penses bien que je plaisante. Fais-moi confiance jusqu'au bout, d'ac ?

Il opine et retourne à la voiture dont il prend le volant. Moi, je monte au côté du Gros.

Nos routes se séparent.

Provisoirement.

Il doit en affurer des piastres, dollars, pesetas et sterling, le Casanova d'Alice, car sa maison de Marbella est presque aussi fastueuse et vaste que celle de Marrakech.

Une soubrette andalouse répond à notre coup de sonnette. Et qui cé qu'elle doit annoncer, la jolie Contraception ?

Lé coumissaire Sane Antônio ?

Tout dé suite !

Elle nous moule sur le vaste échiquier de l'entrée carrelée noir et blanc pour aller virguler mon blaze à son pote en tas.

Celui-ci nous reçoit aussitôt. Il est à table, bouffant un pot de caviar d'une livre sur des *potatoes* en robe des champs puisque tel est son ordinaire ! Lui-même est en robe de chambre, ou plutôt en gandoura blanche. Il clape voracement, faisant trembler ses multiples bajoues et claquant des babines.

Il nous regarde entrer par-dessus son compotier d'œufs d'esturgeons.

— Seuls ? il fait, la bouche pleine.

Je vais à sa table et, sans y être invité, prends place face à lui.

Deux personnages douteux se tiennent à l'écart, prêts à intervenir. Eux sont en civil et y a des renflements éloquents sous leurs blousons blancs de tennismen.

Il ne paraît pas apprécier que nous soyons rien que nous deux, Gras-Triple. Sa frime ! Tu jurerais un bull-dog constipé.

— Et Alice ? demande-t-il rudement.

— Elle se languit de vous, fais-je.

Il a un sourire radieux, bourré jusqu'au trouduc d'un infini contentement.

— Où est-elle ?

Bérurier qui ne s'est pas assis, contourne la table et va choper Kazaldi par les plis amples de son vêtement.

— Et mon fils, dis, salope ? Il est où est-ce ? Tu vas le dire ?

Aussitôt, les deux sloughis de garde bondissent sur Béru et lui font lâcher prise. Des techniciens ! Pas de confuse, de précipitation excessive : gestes précis, violents et imparables.

— Y m'casseraient une aile, ces charognards ! gronde le Majestueux, surpris, en massant ses endolorissures.

Les gardes du corps le palpent. Il n'est pas armé. Ensuite ils le refoulent loin de Kazaldi.

Ce dernier farcit de caviar une nouvelle patate et mord dans le monticule noir et visqueux. Ça lui compose des moustaches gluantes. Avec ce qui subsiste autour de ses grosses lèvres t'aurais de quoi donner une réception à l'ambassade d'U.R.S.S. Quand il a avalé sa gueulée, il se pourlèche pour récupérer le plus gros. Service de nettoiement !

— Ecoutez, commissaire, je déteste perdre mon temps. Je vous avais proposé un marché et vous m'avez appelé de Paris pour me dire que vous l'accepteriez. Or, vous arrivez seul, j'aimerais comprendre.

— Quand je vous ai appelé, les choses n'avaient pas encore évolué, Kazaldi. Votre marché consistait à échanger Alice contre le bébé, exact ?

— Et alors ?

— Dans la mesure où vous n'êtes plus en mesure

de tenir votre engagement, il n'y a aucune raison pour que je tienne le mien.

Là, il repousse sa platée de caviar, intrigué et vaguement inquiet car il est homme d'instinct et pressent soudain que la boîte de sel s'est renversée dans sa crème vanille.

— Pourquoi ne pourrais-je tenir mes engagements ? questionne-t-il.

— Parce que le fils de mon ami Bérurier ne se trouve plus chez votre ami Muhammad Jazirat.

Ça c'est le seau de gadoue en pleine poire ! En avançant ce nom je lui fais piger qu'on vient de récupérer le chiare.

Moi, jouissant de sa stupeur, je me gondole comme un disque trente centimètres oublié sur la plage arrière d'une bagnole stationnée sur la grand-place du Sahara.

— Si vous voulez en avoir le cœur net, essayez de téléphoner chez votre copain : personne ne vous répondra, car tout le monde est ligoté à la cave. Quant au môme, ne vous faites surtout pas de souci pour lui ; nous l'avons placé en lieu sûr. Avons-nous autre chose à nous dire ?

Il respire un grand coup, ce qui soulève quatre-vingts kilogrammes de bidoche pas comestible sur sa personne.

Et puis le tout retombe avec un bruit flasque.

— Ne vous faites pas d'illusions, je retrouverai Alice car elle me reviendra spontanément, à moins que vous ne la teniez enfermée. J'habite son esprit, ne le comprenez-vous pas ? Tôt ou tard elle vous échappera pour accourir vers moi !

Il pointe le *finger* sur Béru.

— Quant à toi, pourceau qui m'a infligé l'injure suprême en vidant ton infâme vessie sur mon visage, sache que tu n'élèveras jamais ton ridicule avorton.

Il se met à glapir en arabe. L'un de ses gardes du corps s'éclipse en courant.

— Tu te crois le plus fort parce que tu as su le retrouver, mais ne te réjouis pas, raclure de pus, cette triste chose sera morte dans un instant !

Son sbire revient tenant une boîte grise munie de boutons rouges et blancs, assez semblable à un contacteur à distance de téléviseur.

— Dans les vêtements de cette petite charognerie, dans la tétine qu'elle suce stupidement, dans le ridicule médaillon accroché à son cou, dans les semelles de ses chaussures, a été introduit un explosif si puissant qu'il ne restera, quand il aura agi, qu'une tache de ton rejeton, crétin ! Il me suffit, tu vois, d'enfoncer cette touche rouge pour que l'enfant explose. La chair de ta chair va partir en lambeaux, que dis-je : en postillons !

Son énorme index boudiné volplane au-dessus du bouton fatal.

— Tu n'as pas eu le temps de l'emmener très loin, et ce merveilleux produit, d'invention japonaise, peut être commandé dans un rayon d'action de cent kilomètres !

Béru hausse les épaules.

— Si tu croyes qu'j'vais couper dans tes sonnettes, vieux cachalot, tu m'prends pou' un enfant d'Marie.

— Tu l'auras voulu ! hurle alors Kazaldi, fou de rage.

Il enfonce la touche et...

... nous nous retrouvons plaqués sur le tapis, Béru et moi, couverts d'ecchymoses gervaises, de sang, de plâtras, de merde, de caviar.

A l'endroit où se tenait le pachyderme, il y a un étalage de tripes et de viandasse fumantes. Ah ! si, voilà une bonne moitié de sa tronche, bon gu ! La zone supérieure à partir des sourcils. Le reste est parti en sucette. Il a dérouillé total, l'obèse. Chair à pâté (et donc à *pater* s'il était catholique). Le grand jeu ! Faudra ramasser tout ça à la pelle pour le foutre dans un cercueil, ou avec un grand buvard. Préparez vos serpillières !

On se relève. Avisant les restes du monstre, Béru balance une gerbe. Son petit déje qui choisit la liberté, à savoir : des œufs aux truffes, des saucisses, du poisson frit, des steaks, des pommes frites. Ça ajoute au désordre comme tu peux pas savoir.

On se casse en force, sans que les deux sbires, beaucoup plus endommagés que nous, fassent un geste pour nous en empêcher. Ils ont des trous partout, et des lambeaux de viande, et du sang... Alouette ! Gentille alouette...

Un grand calme ma bite, comme disait ce comédien qui jouait le violeur de bergères dans un film porno franco-bulgare.

La sensation du devoir accompli, malgré ce mort effroyable que nous abandonnons sur le carreau.

L'histoire pourrait se tituler *L'assassin assassiné*, manière de parodier *L'arroseur à rosette*. En voulant tuer un innocent, par hideuse et très effroyable vengeance, il se tue lui-même ! Moral, non ?

— T'as des dons, fais-je au Mammouth, en claquant la portière de sa chignole. La manière dont tu lui as filé ses propres explosifs dans le burnous, lorsque tu l'as alpagué, c'était du grand art. Tu sais que je te surveillais et cependant je n'ai rien vu !

Satisfait, le Gravos rigole :

— Je pourrais faire pisse-poquette, si un jour j'me retrouve sans un. Note qu'il est plus fastoche de mett' dans la vague des aut' qu'd'retirer.

— J'ai eu une suée lorsqu'il s'est mis à énumérer les différentes manières dont il avait piégé Apollon-Jules.

— Biscotte ?

— Parce que j'ai craint qu'une partie de l'explosif n'ait échappé à ta recherche.

— Tu charreries ou quoi-ce ? J'ai foutu complèt'ment à loilpé, mon fils. Et j'y ai même carré l'doigt dans l'fion pour m'assurer.

— Qu'est-ce qui t'a fait découvrir cette odieuse manœuvre ?

Il caresse le tubercule qui lui sert à respirer et à soutenir ses lunettes de soleil lorsque, d'aventure, il en porte.

— Mon pif, mec. T'l'sais : j'ai toujours eu un odorat d'force 5 su' l'échelle de Bretecher. Donc, j'ai pas d'mérite. Son explosif a une odeur bizarre. Y r'nifle comme qui dirait le caoutchouc brûlé et la merde d'chat. C't'à cause que j'm'ai mis à dessaper mon lardon. J'me disais : c'chérubin aurait-il bédolé dans son pampers ? Pourtant, non. Mais c't'odeur continuait. La tétine surtout, de même qu'ses petits souliers mignons (y n'chausse que du 31, le biquet). En les egzaminant de près, j'm'ai aperçu qu'ils avaient été démontés et recousus. D'dans, j'ai trouvé la drogue qu'j'te cause. Et dans son médaillon d'la Sainte Vierge idem, plus un mignard détonateur, gros comme une tronche d'éping'.

« J'étais un père plexe, tout c'qu'a d'plexe. Ça me travaillait l'cur ch'velu, c't'trouvaille. Alors j'me fends d'un coup d'turlu à Mathias. L'Rouqu'moute, tu l'ignores point, c'est l'génie du cercle dans son genre. Il m'écoute. Il réfléchit. Il répète : « Caoutchouc brûlé, merde de chat... » Y m'demande : « C'est d'un brun violacé ? » « Mouais », j'lu'réponds. Alors, y m'fait comme ça : « Faites un teste : recueillez-en un peu à la pointe d'une aiguille, mais très peu ; aiguille que vous piquez au bout d'un bâton. Ensuite présentez-la à la flamme d'une bou-

gie. » J'ai suivi ses r'commandances. Mon pauv'
vieux, t'aurais entendu c'te conflagration ! Pourtant,
y en avait pas plus gros qu'une virgule... »

Nous redescendons vers la mer entre des villas
silencieuses. Il fait un temps sublime. Les bananiers
sont en fleur.

Béru donne du poing sur le volant.

— T't'rends compte que cette ordure de mec allait
m'bousiller mon héritier après qu'on lui eusse amené
la môme Alice ?

— Tu lui avais pissé sur la gueule, rappelé-je. Un
Arbi ne peut pardonner une telle affaire.

Dans les films d'épouvante, quand le vampire est
mort selon le cérémonial prévu, l'héroïne qu'il a
mordue au cou échappe à la vampirisation.

Lorsque nous débarquons au *Puento Romano,*
tenant un Apollon-Jules vociférant dans nos bras (on
se relaie car il est lourd comme une vache, le petit
gueux), nous trouvons Alice et son père enlacés.
Image noble et sereine. Superbe ! « Le cœur d'un
père est une œuvre d'art », a écrit l'abbé Prévost qui
savait de quoi il causait et François Nourrissier.

Lambert nous lance des éblouissements de bonheur. Il se dégage de l'étreinte de sa fillasse et vient à
moi.

— C'est à n'y rien comprendre, murmure-t-il.
Elle me parlait du gros vilain, me suppliant de la
conduire à lui. Et puis, voici une demi-heure environ,
elle a eu un sursaut, a poussé un cri et elle est
devenue très pâle. J'ai cru qu'elle prenait un malaise.
Alors elle s'est blottie contre moi en criant « Papa,
papa ! Quel bonheur de te retrouver ! Je t'aime, ne
me quitte plus, jamais plus ! »

Il noue ses deux bras autour de mon cou et me
serre contre lui.

— Je te remercie du fond de l'âme, Antoine.

Je renifle un coup. Tiens, merde, je vois trouble, ce qui ne m'empêche pas de me rendre compte combien Alice est ravissante et aussi qu'elle me considère avec intérêt.

Deux pigeons blancs roucoulent sur le muret derrière elle. Le mâle traîne une aile et s'apprête à fourrer sa potesse au bec rose. Ils s'emmerdent pas, dans l'ordre des colombins. T'aimerais pas être pigeon, toi ?

CONNECLUSION

On regarde « 7 sur 7 » à la téloche, ce dimanche-là, m'man et moi. La jolie Anne Saint-Clair interviouwe Jean Lanzi pour changer un peu de tous les cons qu'ils reçoivent.

Et on sonne.

Bon, très bien. M'man va délourder, vite dire que je ne suis pas là au cas d'un malotru casse-roupettes.

Mais c'est Béru portant Apollon-Jules sous le bras comme un fusil. Le môme raffole de cette position qui lui permet de déféquer avec davantage d'aisance (si je puis dire).

— Escusez l'dérang'ment, maâme Félicie, récite Alexandre-Benoît, voici ce dont il nous arrive. La mère à Alfred le coiffeur vient d'tomber paralysée, en Italie. C'pauv' ami fonce à son chevalet. Berthe, qu'est serviab', s'est proposée d'l'accompagner, pas l'laisser seul dans c'te pénib' circonférence. Et y s'trouve qu'j'ai rendez-vous c'soir av'c mes potes d'l'association « De la Grosse Veine Bleue », laquelle regroupe les hommes dont l'membre mesure quarante centimètres, sauf vot' respect que je vous dois. Si c'était un effet de vot' gentillesse...

Il tend son rouquin à m'man.

Un peu dégoulinant, Apollon-Jules. Et voilà qu'il se met à brailler.

M'man s'en saisit comme s'il s'agissait du plus beau des Jésus.

— Soyez sans crainte, monsieur Bérurier, j'en prendrai le plus grand soin.

— C'est pas la peine, assure Béru, si vous voudriez simp'ment y donner sa gamelle que voilà à bouffer et y faire boire un biberon de vin sucré pour qu'y dormisse bien. Surtout, pas la peine de le changer, j'vous assure. On a compris av'c ma Berthe : sitôt qu'on vient de l'approprier, il cagate à nouveau. J'ai jamais vu un chieur pareil. J'croye que s'il sera riche un jour, y n'fera qu'ça !

FIN

Achevé d'imprimer en avril 1986
sur les presses de l'Imprimerie Bussière
à Saint-Amand (Cher)

FIN

— N° d'impression : 892. —
Dépôt légal : juin 1986.
Imprimé en France

PUBLICATION MENSUELLE